Da...

Ce n'est qu'après la naissance de ses deux fils que Dani s'est entièrement consacrée à l'écriture, pour devenir un auteur à succès. Depuis, son ordinateur n'a pas eu un moment de répit et Dani a obtenu de nombreux prix pour ses romans au suspense haletant. Elle vit à Washington avec sa famille, une ville idéale pour y puiser l'inspiration de nouvelles intrigues !

Fatale attraction

DANI SINCLAIR

Fatale attraction

INTRIGUE

*éditions*Harlequin

*Cet ouvrage a été publié en langue anglaise
sous le titre :*
THE FIRSTBORN

Traduction française de
KARINE REIGNIER

HARLEQUIN®

est une marque déposée du Groupe Harlequin
et Intrigue® est une marque déposée d'Harlequin S.A.

1.

Elle était presque arrivée.

Helen Thomas réprima un frisson. Elle était rarement revenue à Blackrose depuis la mort de sa mère, sept ans auparavant. Située sur les bords de l'Hudson, dans l'Etat de New York, cette vaste propriété d'apparence cossue attisait pourtant bien des convoitises...

La vieille Ford traversa à vive allure les quartiers assoupis de Stony Ridge et s'engouffra sous l'épaisse voûte forestière qui assombrissait la dernière étape du voyage : plus que quelques kilomètres à parcourir, songea-t-elle avec une soudaine impatience. A mesure qu'elle s'éloignait de la ville, le paysage changeait, les bâtiments laissant place à des champs vert tendre, baignés dans la douce lueur du couchant. Les vagues de chaleur du mois de juin, d'ordinaire assez intenses, commençaient tout juste à déferler sur la région, mais elles ne tarderaient pas à transformer l'herbe des collines alentour en un foin sec et pâle.

Helen exécuta quelques mouvements de tête pour détendre son cou et ses épaules ankylosés. Et ce fut presque avec soulagement qu'elle s'engagea dans l'allée qui menait à Blackrose... Mais à peine eut-elle aperçu le portail d'entrée qu'elle donna un violent coup de frein.

Qu'avait-*il* fait ?

Incrédule, la jeune femme coupa le moteur et sortit de voiture. Elle contempla les grands piliers de brique qui avaient remplacé les anciens, plus bas et à demi effondrés, sur lesquels étaient postés deux lions de pierre, gardiens du domaine depuis plus de soixante ans. Les lions avaient disparu. Et un gigantesque portail de fer forgé, très travaillé, reliait les nouveaux piliers, protégeant la propriété d'éventuels intrus.

Marcus croyait-il qu'une simple grille, aussi massive soit-elle, suffirait à le couper de sa propre famille ? Peut-être…

Furieuse, Helen s'approcha à grands pas. L'amatrice d'art qu'elle était, doublée d'une femme d'affaires avisée, ne put s'empêcher d'admirer l'ouvrage qui s'offrait à sa vue. En d'autres circonstances, elle aurait sans doute vanté le talent artistique et le savoir-faire de son créateur : ce portail ne ressemblait à rien de ce qu'elle avait vu jusqu'alors. Mais, pour l'heure, sa présence faisait naître en elle une rage indicible.

Où étaient ses lions ? Qu'en avait fait Marcus ?

Il n'avait pas le droit !

Elle secoua violemment la grille, et constata qu'elle n'était pas verrouillée. Pour faire coulisser le lourd battant, il suffisait de soulever la barre qui le retenait. Elle actionna le mécanisme sans attendre, et le portail s'ouvrit doucement. « Allons ! » s'intima-t-elle, s'exhortant au calme. Elle n'était plus une enfant, maintenant. Elle ne se laisserait pas intimider par son père, malgré la mainmise qu'il tentait d'exercer sur *sa* propriété !

Car Marcus était désormais son hôte à Blackrose, et il était grand temps de le lui rappeler. Par respect pour sa mère, Helen n'avait jamais réclamé l'usufruit de la propriété, pas même lorsque son père s'était remarié. Mais, cette fois-ci, il était allé trop loin. Ce portail était une véritable provocation. En revendiquant ce qu'il croyait être son dû, il la poussait à un affrontement direct !

Soit : elle relèverait le défi, et sortirait victorieuse de la bataille ! Elle était propriétaire du domaine, après tout. Dès qu'elle aurait repris possession de son bien, elle ferait démolir ce portail et remettre en place les lions de pierre.

De nouveau installée derrière le volant, elle s'engagea sur l'allée bordée de marronniers qui menait à la vaste demeure. Si Marcus s'était enfin décidé à rénover la propriété, pourquoi ne commençait-il pas par des travaux plus urgents ? L'allée était dans un état pitoyable. A chacune de ses visites, les ornières étaient plus nombreuses. Pourvu qu'elle ne brise pas un essieu, espéra-t-elle sans pour autant ralentir l'allure. Déjà, elle appréhendait la confrontation à venir.

Elle et Leigh, sa sœur jumelle, avaient passé leur vie à ménager celui qui était leur géniteur, et appris très tôt à l'éviter. Helen ne savait plus quand elle avait commencé à l'appeler Marcus, mais du plus loin qu'elle s'en souvenait, jamais elle ne l'avait considéré comme un père.

D'ordinaire, lorsqu'elle franchissait le dernier virage, la vue de l'imposante demeure de briques rouges la rassérénait. Mais ce soir, la maison qui se découpait sur l'horizon déclinant n'avait plus rien d'accueillant : elle semblait abandonnée. Et loin d'évoquer des souvenirs heureux, elle semblait mettre le visiteur en garde contre ce qui l'attendait à l'intérieur...

Helen secoua la tête avec dépit. Jadis, Blackrose était un havre de paix. Mais tout avait changé sept ans auparavant. Et ce soir, aucune lumière ne brillait pour lui souhaiter la bienvenue. La bâtisse ressemblait au décor en carton-pâte d'un film d'épouvante.

Helen et sa sœur s'y sentaient si mal accueillies qu'elles limitaient leurs visites au strict minimum. Depuis qu'elles étaient parties étudier à l'université de Wellesley, quelques années plus tôt, elles n'avaient quasiment plus mis les pieds sur les terres de leur enfance.

Comment avait-il osé retirer ses lions ?

La question revenait, tournait en boucle dans son esprit. C'était pourtant elle et Leigh qui étaient propriétaires de Blackrose, pas Marcus ! En tant qu'aînée, Helen hériterait de cette maison et de toutes ses dépendances le jour de son vingt-cinquième anniversaire. Son père l'ignorait-il ?

Bien sûr que non, trancha-t-elle rageusement. D'ailleurs, c'était sans doute *parce qu'*elle approchait de ses vingt-cinq ans que Marcus avait fait construire ce portail. Elle n'était pas dupe : ni lui ni Eden, son épouse, ne se réjouissaient de sa visite. Mais, tout de même, elle était loin de s'attendre à un tel accueil !

Pas question, pourtant, de céder à leur provocation : même ivre de rage, elle ne les mettrait pas à la porte. Elle n'avait certes aucune affinité avec Marcus. Mais, comme sa mère avant elle, elle acceptait le lien de sang qui les unissait. Pourquoi Marcus ne faisait-il pas de même de son côté ? Bien que Helen n'ait pas encore fêté ses vingt-cinq ans, il n'était plus le maître à Blackrose. Elle était majeure désormais, et libérée de sa tutelle !

Bien sûr, la présence de Leigh à son côté l'aurait rassurée. Mais à quoi bon imposer à sa sœur les affrontements à venir ? La jeune femme s'était envolée pour l'Angleterre la semaine précédente, et pour rien au monde Helen ne lui aurait demandé d'abréger ses vacances. D'autant qu'elle se sentait parfaitement capable d'essuyer seule la colère de leur père. Après tout, il ne pouvait rien contre elle !

A moins de la faire disparaître, comme il l'avait fait pour leur mère…

Helen chassa vite cette pensée morbide de son esprit. Se concentrant sur sa conduite, elle s'appliqua à éviter les ornières qui lui barraient la route. En dépit de son intime conviction — qu'elle partageait avec sa sœur —, personne n'avait jamais prouvé que Marcus était impliqué dans la disparition de leur mère.

Comme elle contournait le terre-plein aménagé devant la maison pour aller se garer près de la porte de derrière, la jeune femme réprima un frisson. Inutile de le nier : son père lui inspirait une peur secrète, depuis toujours. Tant que son grand-père maternel était encore en vie, elle ne s'en était pas souciée. Marcus n'ayant jamais daigné s'intéresser à leur sort, c'était le vieil homme qui leur avait servi de père, à sa sœur et à elle. Lorsqu'elles étaient petites, leur mère avait tenté de justifier l'attitude de son mari à leur égard, mais elle avait vite cessé. Et toute la famille s'était accommodée de la situation.

Vers l'âge de onze ans, Helen, convaincue que Marcus n'était pas son vrai père, avait cherché son extrait de naissance... et pleuré toutes les larmes de son corps en découvrant qu'elle était bien la fille de cet homme froid et inaccessible.

Comment un père pouvait-il se montrer si distant ? Il était médecin, tout de même, et pas n'importe quel médecin ! Gynécologue obstétricien de renom, il soignait une clientèle huppée. Personne n'avait jamais pu expliquer l'indifférence avec laquelle il traitait sa propre famille... Mais très vite, Helen et Leigh s'étaient accoutumées à la situation. Il arrivait qu'elles restent des jours entiers sans voir Marcus — ce qui ne les importunait pas le moins du monde, d'ailleurs.

Bien qu'il n'ait jamais proféré la moindre critique à son égard, Dennison Hart, le grand-père des jumelles, partageait leur antipathie à l'égard de Marcus. Il avait cependant fait aménager un cabinet médical dans l'aile avant de la demeure, pour épargner à son gendre les longs trajets jusqu'à l'hôpital du comté. Un geste généreux... A moins qu'il n'ait voulu éviter que Marcus n'oblige sa famille à quitter Blackrose ?

Leigh en avait toujours été persuadée. Et sans doute n'avait-elle pas tort…

Tout avait changé quand Dennison avait été victime d'une attaque cardiaque. Le vaste domaine s'était comme assombri du jour au lendemain. Les querelles qui opposaient Marcus et Amy, déjà vives avant le décès du vieil homme, s'étaient multipliées. Plus que jamais, Helen et sa sœur s'étaient efforcées d'éviter leur père. L'une comme l'autre espéraient secrètement qu'Amy se résoudrait enfin à demander le divorce. Et ordonnerait à Marcus de quitter les lieux.

C'était exactement l'inverse qui s'était produit : quelques mois après le décès de son père, Amy Thomas avait quitté Blackrose pour se rendre à New York. Un simple voyage d'agrément, avait-elle assuré. Mais en constatant que leur mère ne les appelait pas pour les informer de son arrivée, Helen et sa sœur avaient imaginé le pire.

Elles ne se trompaient pas. Interrogé, le voiturier de l'hôtel où Amy était descendue avait constaté la disparition de son véhicule, le lendemain de son arrivée. Ni la voiture ni sa propriétaire n'avaient jamais été retrouvées. Et bien que leur mère ait laissé ses bagages à l'hôtel, Helen et Leigh avaient toutes deux compris que la malheureuse femme ne reviendrait jamais les récupérer…

Ce fut en remuant ces tristes souvenirs qu'Helen s'approcha de la porte de la cuisine – fermée à clé et désormais protégée par une grille de fer forgé.

Interdite, elle pressa longuement la sonnette. Sans succès : à l'intérieur, tout était silencieux. Où étaient donc Mme Walsh et sa fille Kathy ? Les deux femmes logeaient derrière la cuisine, et sortaient rarement le soir.

De plus en plus intriguée, Helen recula d'un pas pour mieux distinguer la façade, à demi plongée dans l'obscurité. Elle remarqua alors que toutes les portes et les fenêtres étaient munies de barreaux. Une vive inquiétude l'envahit. Que se passait-il ici ? Marcus préparait-il le siège de Blackrose ?

Tournant les talons, elle se dirigea vers l'ancienne grange, transformée en garage. Un coup d'œil à l'intérieur lui fournirait peut-être un indice ? Elle était à mi-chemin, lorsqu'une lumière tremblante attira son attention. Le petit bosquet, à quelques mètres de là, semblait traversé d'éclairs rougeoyants. Un incendie ?

Lâchant son sac de voyage, elle s'élança, puis ralentit en constatant que les flammes ne grossissaient pas. Un étrange bruit de marteau, très rythmé, se faisait entendre... Helen avança prudemment. Et s'arrêta à l'entrée de la clairière.

Le domaine de Blackrose datait du dix-neuvième siècle. Au tournant du siècle, un incendie avait ravagé le bâtiment principal : la maison actuelle avait été bâtie sur les décombres de l'ancienne. Quelques dépendances avaient néanmoins échappé aux flammes, dont une forge restée inoccupée depuis. Jusqu'à aujourd'hui...

En poussant la porte, Helen constata que la forge était vide. La lumière provenait d'un autre foyer — improvisé, celui-là : à l'extérieur du bâtiment, un homme était penché sur un feu qu'alimentait un gros réservoir de propane. De profil, ses traits durcis par la chaleur intense se découpaient nettement dans la lumière des flammes. Des mèches de cheveux bouclés, noirs et épais, tombaient sur sa nuque trempée de sueur. Vêtu d'un jean et d'un débardeur blanc, il possédait le genre de musculature qui doit davantage au travail physique qu'à la fréquentation des salles de gym.

Sa main gauche disparaissait sous un gant lourd et épais, semblable à une pince. Il s'en aida pour saisir un morceau de métal rougi dans la forge, qu'il posa sur une enclume. De sa main droite, nue celle-là, il abattit un énorme marteau sur le morceau de métal — et répéta son geste, encore et encore, avec une régularité qui déformait étrangement son tatouage, au biceps droit. Fascinée, Helen l'observa en silence. Bien que violents, ses gestes étaient empreints d'une indéniable sensualité. Tout à son effort, il semblait enchaîné à son enclume, qu'il frappait comme s'il s'était agi d'un obscur démon, visible de lui seul.

Helen s'avança à pas de loup, captivée par l'étrange beauté qui se dégageait de la scène. Une nouvelle fois, l'homme posa la barre de fer dans les flammes. Curieuse de découvrir l'objet qu'il fabriquait, elle fit quelques pas supplémentaires...

Elle était sûre de n'avoir fait aucun bruit. Pourtant, l'homme se retourna brusquement.

— Qui diable êtes-vous ? interrogea-t-il d'un ton bourru en ôtant ses lunettes de protection à l'aide du manche de son marteau.

Son regard, d'une intensité magnétique, appelait le respect. Mais Helen ne se laissa pas intimider.

— A votre place, répliqua-t-elle en relevant le menton, je me garderais d'invoquer le diable. Vous avez vous-même l'air de sortir tout droit des flammes de l'enfer !

Surpris, l'inconnu cligna des yeux. Les commissures de ses lèvres se soulevèrent... mais cette esquisse de sourire céda immédiatement place à un rictus sévère, qui durcissait ses traits.

— Raison de plus pour vous sauver, petite fille.

Helen sentit un étrange frisson courir le long de sa nuque. Qui était cet homme ? Et que faisait-il ici ?

— Primo, je ne suis pas du genre à prendre la fuite. Et secundo, il y a longtemps que je ne suis plus une petite fille.

L'inconnu s'adoucit, trahissant un amusement qu'il s'empressa de cacher.

— Combien de temps, au juste ? rétorqua-t-il.

D'impérieux, il s'était fait malicieux, s'exprimant d'une voix suave et douce comme du velours.

Helen se détendit à son tour. Pourtant, elle aurait dû rester sur ses gardes... mais cet homme, malgré ses regards insistants, ne la menaçait pas. Il dégageait même une certaine mélancolie, qui piquait sa curiosité.

— Je suis assez grande pour savoir que vous violez une propriété privée, assura-t-elle d'un ton qu'elle voulait léger.

— Vous croyez ?

Elle décida de le provoquer.

— Alors, vous rendez les armes ou vous pensez avoir besoin d'un marteau et d'un tison pour me repousser ?

Un autre sourire plissa ses lèvres, si furtif qu'elle douta de l'avoir aperçu. Puis, avec un soin étudié, il posa son marteau. La pièce de métal rougi qu'il tenait dans son autre main émit un chuintement sonore lorsqu'il la plongea dans un grand bac d'eau.

— Je prends le risque, dit-il.

— Dans ce cas, prenez aussi celui de décliner votre identité, rétorqua-t-elle du tac au tac. Car je ne sais toujours pas qui vous êtes ni ce que vous faites ici.

— Vous êtes bien mal placée pour poser ce genre de question. Je travaille ici, moi. Et vous, qui êtes-vous ?

— Marcus..., commença-t-elle.

— Je présume que vous connaissez le propriétaire de cette demeure ?

— Très bien, en effet, puisque c'est moi !

Il baissa les yeux pour retirer ses gants, mais elle eut le temps de lire la surprise sur son visage.

— Vous êtes un peu jeune pour posséder un endroit pareil, vous ne trouvez pas ?

— Décidément, vous semblez très intéressé par mon âge.

Elle sentit son regard se poser sur elle.

— C'est vous qui m'intéressez, lâcha-t-il d'une voix égale.

Estomaquée, Helen ne répondit rien. Puis elle se reprit, tenta de chasser le trouble qui l'avait saisie et décida d'ignorer cette réplique.

— Ecoutez, il se fait tard et… j'ai besoin de me reposer, énonça-t-elle vivement. Marcus est-il là ?

— Je n'en ai pas la moindre idée.

— Dans ce cas, vous avez bien une clé de la grille que vous avez installée à l'entrée de la cuisine ?

— De *votre* cuisine, rectifia-t-il doucement, en glissant ses pouces dans les passants de la ceinture de son jean.

— Tout à fait. Je m'appelle Helen Hart Thomas et depuis deux semaines, ma sœur et moi sommes propriétaires de Blackrose.

Elle exagérait à peine. Il y avait deux semaines que le décès de leur mère avait été officiellement prononcé. Depuis lors, seules Helen et sa jumelle étaient en droit de revendiquer la propriété du domaine dont Amy avait hérité de son père.

Le forgeron la considéra quelques instants en silence. Il faisait nuit noire, désormais. Elle distinguait à peine son visage dans l'obscurité. Quand il reprit la parole, elle tressaillit comme s'il l'avait touchée.

— Je n'ai pas de clé, madame Thomas. Il faudra que vous les réclamiez à M. Thomas.

— Oh, mais j'y compte bien ! Désolée de vous avoir dérangé.

D'un mouvement vif, elle tourna les talons, fit deux pas… puis jeta un coup d'œil par-dessus son épaule : l'étranger n'avait pas bougé.

— Et j'exige qu'on remette mes lions en place !

Il fronça les sourcils.

— Vous voulez parler des lions de pierre qui gardaient l'entrée principale ? M. Thomas voulait que je m'en débarrasse.

Elle se raidit.

— Vous ne les avez tout de même pas… ?

— Détruits ? acheva-t-il. Non. Je les ai mis en dépôt dans mon atelier.

Un profond soulagement l'envahit. Ses lions existaient toujours !

— Et où se trouve votre atelier ?

— A Murett Township, un village perdu dans les collines, à environ une heure de voiture d'ici. L'endroit ne figure pas sur toutes les cartes.

Il avait raison : elle n'en avait jamais entendu parler.

— Je veux que vous remettiez ces lions à la place exacte qu'ils occupaient auparavant. Et maintenant, je vous prie de m'excuser : je vais tâcher de trouver mon père. Bonne soirée, monsieur… ?

— Myers, répondit-il. Bram Myers.

— Très bien, monsieur Myers, j'ai été ravie de discuter avec vous. Désolée de m'éclipser ainsi, mais je crains d'être obligée d'enfoncer l'un de vos chefs-d'œuvre pour entrer dans ma propre maison.

Une fois de plus, elle sentit qu'il retenait un sourire.

— Je ne sais pas pourquoi, mais j'ai l'impression que vous en êtes capable.

— Vous avez raison ! rétorqua-t-elle.

— Essayez la porte de devant, suggéra-t-il. Je n'y ai pas encore installé de grille.

Helen acquiesça.

— Merci du conseil… Au fait, si j'étais vous, je ne perdrais pas mon temps à forger des grilles supplémentaires : j'ai l'intention de les retirer une à une !

Sans attendre sa réponse, elle s'engagea dans le petit chemin qui menait à la maison. Bram Myers la troublait — ce qui n'avait rien d'étonnant : il était incroyablement sexy. Dommage qu'elle n'ait pas besoin d'employer un forgeron...

Elle contourna la maison pour atteindre l'entrée principale, et gravit les marches du perron. Bizarrement, elle n'eut même pas besoin d'utiliser sa clé. La poignée de cuivre terni céda sous ses doigts. La porte s'ouvrit, révélant une pièce sombre et profonde peu engageante. Franchissant le seuil d'un pas hésitant, Helen chercha l'interrupteur à tâtons, et se sentit soulagée de le sentir sous ses doigts. Elle l'enclencha fermement... mais rien ne se produisit.

Pourtant, un lustre majestueux pendait au-dessus de sa tête. Il était possible qu'une des ampoules ait grillé... Mais toutes à la fois ? Certainement pas. Le courant avait dû être coupé, décida-t-elle.

Quant à la maison, elle semblait vide, abandonnée. Où donc Marcus et Eden étaient-ils partis ?

— Il y a quelqu'un ?

Seul un faible écho lui répondit.

Devant elle se dressait l'escalier monumental qui menait aux deux étages supérieurs. Derrière l'escalier se trouvait le salon, aux dimensions impressionnantes. A sa droite, la bibliothèque et, à sa gauche, l'étroit fumoir que son grand-père avait fait transformer en salle d'attente pour les patientes de Marcus.

Helen eut un léger choc en découvrant que la porte du fumoir était grande ouverte : en dehors des heures de consultation, Marcus la fermait toujours soigneusement à clé.

Décidément, quelque chose ne tournait pas rond... mais quoi ? Elle s'avança vers le cabinet de son père et constata que de lourds rideaux occultaient les fenêtres. Ils n'y étaient pas, lors de sa dernière visite… Quant à la salle d'attente, elle était plongée dans l'obscurité la plus complète.

— Hé ! Il y a quelqu'un ?

Un léger bruit se fit entendre. Là, tout près d'elle… Mal à l'aise, Helen faillit rebrousser chemin — avant de se l'interdire fermement. Elle était ici chez elle, et elle n'avait rien à craindre.

— Qui est là ? interrogea-t-elle d'une voix forte.

Aucune réponse. Helen remit en place une longue mèche échappée de sa queue-de-cheval, puis elle s'avança résolument vers un des coins les plus sombres de la pièce.

— Il y a quelqu'un ?

Toujours rien — sauf un léger glissement qui lui glaça les sangs.

Impossible de déterminer d'où venait ce bruit… mais quelqu'un se trouvait près d'elle. Quelqu'un qui n'avait manifestement pas l'intention de révéler sa présence.

Comme Helen s'avançait avec précaution dans la pièce, elle se heurta à un objet dur. Baissant la main, elle le toucha du bout des doigts et comprit qu'il s'agissait du bureau de la secrétaire. Un peu rassurée, elle se redressa et s'exhorta à continuer son exploration — malgré les images angoissantes, droit tirées de films d'épouvante, qui s'imposaient à son esprit. Il régnait dans ces lieux une atmosphère étrange, lourde de menaces.

Soudain, un courant d'air la fit frissonner, et elle perçut plutôt qu'elle ne vit un mouvement dans l'obscurité. La porte de la salle d'attente ouvrait sur un couloir, très étroit, qui menait lui-même à un bureau.

Helen retint sa respiration. Aucun doute possible : quelqu'un était tapi dans ce couloir, et l'observait en silence. N'y tenant plus, elle regagna le hall en courant…

Et se heurta de plein fouet à la haute silhouette qui se dressait devant elle.

Le cri jaillit du plus profond de son être. Des mains lui empoignèrent fermement les épaules, la secouant violemment pour la faire taire. Malgré sa terreur, elle décocha un coup de pied à son agresseur. Manifestement surpris, il poussa un cri étouffé et la lâcha.

— Calmez-vous, grommela-t-il. Je ne vous veux pas de mal !

Bram… C'était Bram ! comprit-elle, le cœur battant encore la chamade. Soulagée, elle se tourna vers lui, et il braqua sur elle le puissant faisceau de sa lampe torche. Aveuglée, elle l'écarta de son visage, et distingua ses traits sévères.

— Désolé de vous avoir effrayée, dit-il d'un ton calme.

— Effrayée ? répliqua-t-elle, furieuse. J'ai failli avoir une attaque, oui !

— Vraiment ? C'eût été fort regrettable.

Son impertinence l'agaça.

— Que faites-vous ici ?

— Je suis venu m'assurer que vous n'aviez pas enfoncé la porte, comme vous aviez menacé de le faire.

— Très drôle…

Elle tremblait malgré elle. La journée avait été longue, et son interlocuteur était dangereusement proche d'elle.

— Et les lumières ? demanda-t-il.

— Elles ne fonctionnent plus.

— J'avais remarqué.

Il dirigea le faisceau de sa lampe vers le hall, faisant jaillir et se tordre des ombres aux formes étranges.

— Ça va ? Vous tremblez.

— Bien sûr que je tremble ! Vous m'avez flanqué la trouille de ma vie.

— Vu la manière dont vous avez surgi de cette pièce, j'ai l'impression que je ne suis pas le seul.

Troublée, elle afficha une assurance qu'elle était loin d'éprouver.

— Il y a quelqu'un là-dedans. Mais personne ne m'a répondu quand j'ai appelé.

Il se raidit.

— Attendez-moi ici !

Bram s'élança vers la salle d'attente. Elle lui emboîta le pas, secrètement rassurée par sa présence. Sa puissante torche éclairait toute la pièce. Devant les épais rideaux de damas, ils découvrirent une rangée de chaises.

— Très accueillant ! J'espère que vous avez l'intention d'engager un décorateur, commenta-t-il avec ironie.

— C'est charmant, en effet...

Le faisceau de la lampe glissa derrière le bureau, révélant la lourde porte de bois sombre à double battant qui menait au repaire de Marcus. En constatant qu'elle était fermée, Helen sentit son estomac se serrer.

— Cette porte était ouverte il y a un instant, murmura-t-elle.

Sans la regarder, Bram se dirigea vers la porte et tendit la main vers la poignée.

— Vous en êtes sûre ?

— Evidemment !

Il actionna la poignée.

— Elle est fermée à clé, constata-t-il.

« Il y a quelqu'un dans le bureau ! » eut-elle envie de crier, mais les mots ne parvinrent pas à franchir ses lèvres.

— Je peux essayer d'enfoncer la porte, reprit Bram. Mais êtes-vous bien certaine que votre imagination ne vous joue pas des tours ? Ce serait compréhensible. Sans lumière, cette pièce est sombre comme un cercueil.

21

Pour appuyer ses dires, il éteignit sa lampe, les plongeant dans une obscurité totale. Helen étouffa un cri.

— Vous voyez… Je ne peux même pas distinguer la porte, et encore moins vous dire si elle est ouverte ou fermée, continua Bram avec la patience d'un maître d'école. Ce serait dommage de l'enfoncer si vous n'êtes pas absolument sûre qu'il y a quelqu'un derrière. De nos jours, on ne fabrique plus d'aussi belles portes en merisier massif.

Helen s'efforça de réfléchir. Cette porte avait-elle été ouverte, ou son imagination lui jouait-elle des tours ? Ce n'était pas impossible. D'autant qu'elle était fatiguée par les longues heures de voyage, et troublée par ce qu'elle avait découvert en arrivant à Blackrose. Qui savait ce dont Marcus serait capable s'il apprenait qu'elle avait enfoncé la porte de son bureau ?

Mais pourquoi pensait-elle à Marcus ? Elle était ici chez elle ! lui souffla une petite voix intérieure. Rien ne lui interdisait d'enfoncer une porte si elle le jugeait nécessaire. Pourtant, elle hésitait. Et si elle s'était trompée ?

— Les plombs ont sauté ? reprit Bram.

Il ralluma sa lampe électrique.

— Je ne sais pas.

Elle parvint à réprimer le tremblement de sa voix, mais pas les frissons qui lui secouaient le corps.

— Vous ne sentez rien ? s'enquit-elle malgré elle.

Il la regarda fixement.

— Sentir quoi ?

« *Le parfum du mal* », murmura-t-elle tout bas, avant de hocher la tête.

— Non, rien. La maison a l'air… vide.

— Vous venez juste de dire qu'il y avait quelqu'un dans le bureau.

— Laissez tomber.

Gênée, elle se tourna vers le hall principal.

— Ecoutez, je crois que nous devrions essayer de rétablir la lumière, suggéra Bram. Savez-vous où se trouve le panneau électrique ?

Elle hocha la tête avec reconnaissance.

— Dans la cuisine.

— Vous pouvez m'y conduire ?

Il s'avança vers elle. Elle le savait imposant, mais le sentir si proche lui donna l'impression d'être petite et vulnérable.

— Ne me traitez pas comme une gamine ! le prévint-elle.

— Telle n'était pas mon intention. Préférez-vous que je vous laisse ?

— Non ! Non, répéta-t-elle d'un ton radouci, avant de prendre une profonde inspiration. Je suis un peu paniquée. Je ne comprends pas ce qui se passe… Où sont-ils tous ? Mme Walsh ? Kathy ? Il devrait y avoir quelqu'un. La porte principale était ouverte.

— Ah bon ?

Il paraissait un peu surpris.

— Puisque je vous le dis !

Il leva la main.

— Calmez-vous. Etes-vous toujours ainsi, sur la défensive ?

— Juste depuis…

Depuis qu'elle avait reçu la lettre du notaire qui lui demandait de venir à Blackrose pour discuter de questions importantes. Mais elle pouvait difficilement expliquer cela à un parfait étranger. Aussi reprit-elle :

— Depuis que je suis arrivée ici et que j'ai découvert que tout avait changé.

— Je comprends que cela vous agace, et j'en suis désolé, mais je n'ai vu personne depuis plusieurs jours déjà. Je suis resté dans la vieille forge pour terminer les pièces que votre père m'a commandées. Je ne connais aucun des noms que vous venez de mentionner. Depuis que je suis arrivé, vos parents sont les seules personnes auxquelles j'aie parlé.

— Mon père et sa femme, rectifia-t-elle.

Elle se détourna vivement pour échapper à son regard inquisiteur.

— La cuisine est par ici.

Ils s'engagèrent dans le hall enténébré. Bram pointa le faisceau de sa torche sur le plancher pour guider leurs pas. Normalement, la lumière de la lune aurait dû éclairer l'intérieur de la maison, mais ce soir, les nuages obstruaient le ciel et la maison ressemblait à une grotte déserte.

Bram était-il entré ici auparavant ? se demanda Helen. Et si oui, qu'en avait-il pensé ?

— Votre père vous attendait-il ? interrogea-t-il.

— Je ne l'ai pas appelé pour lui dire que je prenais la route, si c'est ce que vous voulez savoir.

Bram ne fit aucun commentaire. S'il se posait des questions sur la relation qu'elle entretenait avec Marcus, il n'en laissait rien paraître. Il ne lui avait même pas demandé de prouver son identité, se rappela-t-elle soudain. Elle aurait pu lui mentir, après tout ! Mais il s'en souciait peu, manifestement… Il n'était pas payé pour garder la propriété — seulement pour en armer toutes les ouvertures de barreaux en fer forgé. En fait, elle aurait dû le remercier de sa présence mais, trop troublée par leur proximité, elle n'y avait pas songé.

La cuisine était sombre et silencieuse. Helen actionna l'interrupteur, sans résultat.

— Le compteur électrique est dans le garde-manger, dit-elle en désignant une porte fermée.

C'était étrange… Enfant, elle n'avait jamais trouvé ces boiseries lugubres. La maison était pour elle un havre de paix, un foyer chaleureux. Mais ce sentiment avait disparu, en même temps que sa mère et son grand-père.

Ouvrant la porte du garde-manger, Bram pénétra à l'intérieur.

— C'est grand, dit-il simplement.

Difficile de le contredire : la demeure était immense. Les chambres, les cabinets de toilettes, tout était gigantesque. Elle l'observa tandis qu'il examinait le panneau électrique. Il finit par actionner une grande manette. Mais il ne se passa rien.

— Des lignes à haute tension ont dû sauter.

— Cela arrive quand il y a de l'orage, mais ce n'est pas le cas aujourd'hui, souligna-t-elle. Du moins, pas encore.

— C'est vrai, approuva-t-il, mais une voiture a pu heurter un poteau électrique, par exemple. C'est peut-être pour ça que tout le monde est parti. Cette maison n'est pas très accueillante, sans électricité… Avez-vous un autre endroit où passer la nuit ?

Blackrose, situé au nord-est de Saratoga Springs, était un endroit plutôt isolé. Les plus proches voisins et la petite ville de Stony Ridge étaient assez loin. Helen aurait pu appeler des amis, mais elle n'avait pas envie de s'imposer chez des gens qu'elle n'avait pas vus depuis des mois.

— Pas vraiment, mais je ne risque pas de mourir de froid, vous savez. Et puis, je peux allumer des bougies.

— Vous voulez rester ici toute seule ? Je ne suis pas sûr que ce soit une bonne idée. Et s'il y avait quelqu'un d'autre dans la maison ? insista-t-il.

— Je préfère ne pas y penser, répondit-elle, sentant la peur lui nouer l'estomac.

— Avez-vous mangé ?

Étonnée, elle dévisagea Bram.

— Comment ?

— Je n'ai pas encore dîné et mon steak est assez gros pour deux. Si ça vous tente, vous êtes la bienvenue chez moi.

— Vous savez cuisiner ?

Elle s'interrompit, et s'imagina assise en face de lui, partageant son repas.

— Essayez, et vous verrez, répondit-il, les yeux pétillant de malice.

— Mais… l'électricité est coupée. Comment allez-vous cuisiner ?

— J'ai une forge.

— Vous l'utilisez pour faire cuire votre viande ?

Ses dents brillèrent quand il sourit — d'un sourire plutôt sexy, se dit Helen.

— J'ai une bouteille de propane et un camping-gaz dans mon campement. Alors, vous avez faim ?

L'en-cas qu'elle avait avalé dans la voiture, après avoir quitté l'appartement bostonien qu'elle partageait avec sa sœur, lui parut soudain bien lointain.

— Oui, plutôt. Si vous m'éclairez, je peux aller chercher du vin.

Il braqua le faisceau de sa lampe sur les casiers à vin, installés au fond du garde-manger.

— Je n'y connais pas grand-chose, poursuivit-elle. Vous voulez choisir une bouteille ?

Fascinée, elle ne put détacher son regard du tatouage qu'il portait sur le biceps alors qu'il tendait le bras pour s'emparer d'un flacon.

— C'est un dragon ?

— Oui. Vous avez un tire-bouchon ?

Sa question l'avait-elle gêné ? Il ne paraissait pourtant pas embarrassé… mais il s'était bien gardé de lui fournir la moindre précision sur son tatouage — ni sur quoi que ce soit d'autre, d'ailleurs. Si bien qu'elle ne savait rien du dénommé

Bram Myers. Commettait-elle une imprudence en allant dîner avec lui au fond du parc ? Son intuition lui affirmait le contraire. Au fond, comprit-elle en le suivant dans la maison, le tire-bouchon à la main, c'était d'elle-même dont elle devait se méfier.

Car l'attirance étrange qu'elle éprouvait pour ce parfait inconnu ne cessait de croître.

Il s'arrêta pour ramasser le petit sac de voyage qu'elle avait laissé près de la porte d'entrée.

— Au cas où, dit-il.

— Au cas où quoi ? s'enquit-elle nerveusement.

— Au cas où il y aurait *vraiment* quelqu'un dans cette maison.

Ils sortirent et il l'attendit pendant qu'elle tentait d'introduire sa clé dans la serrure grippée de la porte d'entrée.

— Au moins, il n'a pas changé les serrures, murmura-t-elle. Croyez-vous que je devrais appeler la police ?

Aussi étrange que cela puisse paraître, elle n'y avait pas pensé plus tôt.

— C'est vous qui voyez. C'est votre maison, madame Thomas.

— Helen.

Il hocha la tête.

— Joli prénom.

— Merci.

Une fois encore, elle se sentit décontenancée.

— Le problème, avec la police, c'est qu'il leur faudra une brigade entière pour fouiller la maison. Le temps que l'agent de service appelle des renforts, votre intrus aura décampé depuis longtemps.

— C'est juste, approuva-t-elle. Mais s'il y a réellement un rôdeur, il aura quartier libre pendant que je dînerai avec vous… Il y a tout de même des objets de valeur dans cette maison, vous savez !

— Décidez-vous. Vous pouvez rester ici si vous le souhaitez. Moi, je vais dîner.

Helen hésita… Etait-ce une bonne idée de suivre cet homme ? Indécise, elle jeta un coup d'œil anxieux par-dessus son épaule. Et vit distinctement bouger le rideau d'une des fenêtres de l'ancienne salle de réception.

2.

— Etes-vous certaine d'avoir vu quelqu'un à la fenêtre, tout à l'heure ? demanda Bram.

La jeune femme se raidit sur sa vieille chaise de camping et le regarda droit dans les yeux.

— Oui.

Cette maison lugubre l'avait sans doute effrayée, estimat-il. Pour être franc, lui-même s'y était senti mal à l'aise. Blackrose n'avait rien d'une gentilhommière douillette et accueillante...

— Il faisait déjà nuit noire, remarqua-t-il. Peut-être avez-vous vu une lumière se refléter dans la fenêtre ?

— Quelle lumière ?

— Celle de ma lampe ?

Comme elle lui lançait un regard incrédule, il ajouta :

— J'aurais dû retourner à l'intérieur pour vérifier qu'il n'y avait personne.

— Non. La maison est trop grande pour être fouillée sans lumière. Vous auriez pu vous blesser.

— Vous croyez ?

Elle haussa les épaules, avant de porter son gobelet de carton à ses lèvres pour boire une gorgée de vin. Elle semblait mi-amusée, mi-ennuyée, et jetait des regards nerveux en direction de la clairière. Privé de la clarté de la lune, l'endroit aurait donné la chair de poule à n'importe quelle jeune femme normalement constituée. La seule lumière dont ils disposaient provenait du camping-gaz et des bougies à la citronnelle que Bram avait allumées pour éloigner les moustiques affamés.

Mais Helen se préoccupait sans doute peu de ces petits insectes, songea-t-il. Elle se trouvait seule avec un homme qu'elle ne connaissait pas, entourée d'arbres gigantesques et d'animaux nocturnes qui l'épiaient dans le noir. Si elle appelait au secours, personne ne l'entendrait. Il aurait fallu être inconsciente pour ne pas se sentir mal à l'aise… Or Helen n'avait pas l'air d'une écervelée. Soit elle avait décidé de lui faire confiance, soit elle dominait très bien sa peur.

Mais une chose était sûre : sa nervosité n'enlevait rien à son charme. Son pantalon serré et son chemisier de coton blanc révélaient une silhouette mince et souple à laquelle il n'était pas insensible… Sa réaction l'étonnait, d'ailleurs. Il y avait si longtemps qu'il n'avait pas éprouvé de désir physique !

Peut-être était-ce là le problème, songea-t-il avec ironie. Sevré depuis des mois, son appétit se réveillait à la vue de cette biche égarée…

Elle releva la tête et il suivit des yeux le mouvement de ses mèches d'un brun doré, qui reprirent sagement leur place sur ses épaules. Oui, elle suscitait quelque chose en lui, et il n'y pouvait rien. Tendue, sur ses gardes, elle continuait pourtant de faire bonne figure, et il ne put s'empêcher d'admirer son courage et son intelligence.

— Vous vous sentez mieux ? demanda-t-il d'un ton plus rude qu'il ne l'aurait voulu.

Sans se laisser impressionner, Helen pencha la tête.

— Oui. Désolée d'avoir été si gourmande. J'étais affamée, en fait ! Et c'était absolument délicieux.

— Je vous en prie. J'étais heureux de vous voir manger avec appétit. Je n'aime pas les gens qui chipotent dans leur assiette.

Après avoir englouti la moitié du steak, Helen en était à son second verre de vin, qu'elle sirotait à petites gorgées.

— Même si je dois faire une heure de gym demain, ce dîner en valait la peine, affirma-t-elle avec gourmandise.

Il n'avait aucune envie de s'imaginer la jeune femme en tenue de sport, en train de faire des étirements et des abdominaux. Comme il cherchait un sujet de conversation plus anodin, il sentit son regard se fixer sur son torse. Et s'y attarder juste assez pour attiser le feu qui brûlait dans ses reins.

— Méfiez-vous : ce genre de regard peut valoir de sérieux ennuis à une femme, commenta-t-il d'une voix douce.

Elle leva les yeux vers lui. Il était presque certain de l'avoir vue rougir, mais elle n'était pas du genre à se laisser intimider.

— Désolée. Je cherchais la cape et le T-shirt avec un grand « S ».

— Pardon ?

— Vous savez bien : les collants bleus, la cape rouge et le gros « S » rouge sur la poitrine ?

Il esquissa un sourire en comprenant son allusion.

— Eh non, je n'ai pas de costume de Superman dans ma garde-robe.

— Quel dommage !

— Cela ne m'empêche pas de me porter volontaire pour vous raccompagner chez vous et inspecter la maison.

Elle secoua la tête et, une fois de plus, il ne put détacher son regard de sa chevelure soyeuse.

— Non, merci, dit-elle. Même si ce dragon tatoué sur votre bras a l'air redoutable, je doute qu'il crache de vraies flammes en cas de danger. Et je n'aimerais pas vous mettre en difficulté.

Pour la troisième fois de la soirée, il réprima un sourire. Avec son humour ravageur, elle avait le don de le prendre au dépourvu.

— Ce que j'aurais dû faire, poursuivit-elle, c'est suivre mon instinct et appeler la police dès que j'ai vu le nouveau portail.

— J'ignorais que mon travail puisse me valoir une descente de police... mais, je vous en prie, faites comme bon vous semble !

Elle le regarda entre ses longs cils recourbés.

— Ce n'est pas ce que je voulais dire. Votre travail est magnifique, et vous le savez. Mais mon père et moi ne partageons pas les mêmes idées sur l'aménagement du domaine. De toute façon, il est un peu tard pour appeler la police... Même s'il y avait un intrus dans la maison tout à l'heure, il est certainement loin, à l'heure qu'il est !

— Raison de plus pour que j'y retourne. Il n'y a plus de danger, maintenant !

— Non, ce n'est pas la peine.

Bram n'aurait su dire pourquoi son refus l'ennuyait à ce point, mais il ressentit soudain le besoin impérieux de se pencher vers elle pour la toucher. Au lieu de cela, il se leva vivement et alla chercher un sac pour y jeter les déchets.

Helen sursauta, surprise par ce mouvement brusque. Puis, pour tenter de dissimuler sa nervosité, elle se leva de sa chaise basse avec une grâce que peu de femmes auraient eue en ces circonstances. En la voyant fouiller du regard l'obscurité qui les entourait, il réalisa qu'il n'était pas la seule cause de son malaise.

— Il est tard, dit-elle. Il faut que j'y aille.

Comme elle lui tendait son assiette en carton, leurs doigts se touchèrent. Ce contact fit à Bram l'effet d'une décharge électrique.

Helen ne prononça pas un mot, mais ses yeux s'écarquillèrent comme si elle ressentait la même chose. Et il ne put s'empêcher de jubiler intérieurement quand elle renversa son verre de vin dans sa hâte à retirer sa main.

Elle s'excusa. La consternation se lisait dans ses grands yeux bleus.

— Excusez-moi. D'habitude, je ne suis pas si maladroite...

D'un geste qui trahissait sa nervosité, elle chassa une mèche rebelle, l'invitant sans le savoir à la dévisager. Sa peau semblait douce, et aussi tentante que sa chevelure. Il serra plus fort l'assiette en carton pour ne pas tendre la main vers son visage et le caresser.

Bon sang, mais que s'imaginait-il ? C'était une *jeune* femme ! Et une jeune femme fortunée, qui plus est. Il n'avait aucune envie d'avoir des ennuis. Or Helen était précisément le genre de personne qui attire les ennuis...

— Asseyez-vous et finissez votre verre, dit-il d'un ton vif. Je me charge de débarrasser la table.

Il perçut une étrange lueur dans ses yeux lorsqu'elle recula.

— J'ai assez bu pour ce soir, et il faut que je retourne à la maison. Je suis sûre que Marcus et sa femme sont rentrés, à l'heure qu'il est.

Bram se ressaisit.

— Vous n'aimez pas beaucoup votre belle-mère, n'est-ce pas ?

Elle releva immédiatement le menton.

— Ça ne vous regarde pas. Mais sachez que le remariage de mon père avec Eden ne me pose aucun problème.

33

Soit… Il aurait pu la croire s'il n'avait vu ses poings se serrer et ses jolies lèvres se pincer jusqu'à ne plus former qu'un trait dur sur son visage. Après tout, se dit-il, de nombreuses familles se déchiraient, de nos jours, et les problèmes de cette jeune femme ne le concernaient pas. Il était temps de calmer le jeu.

— Vous avez raison, ce n'est pas mon affaire.

— Désolée, je ne voulais pas vous blesser. Disons qu'Eden peut parfois se montrer… difficile.

— Peut-être ne l'avez-vous pas rencontrée dans les circonstances les plus favorables qui soient ? hasarda-t-il.

— Oh, je l'ai toujours connue ! Elle était l'infirmière de Marcus pendant des années.

— Je n'avais pas remarqué que votre père était malade.

— Il n'est pas malade. Il était médecin, et Eden travaillait pour lui.

Bram haussa les sourcils.

— Il *était* médecin ?

— Je crois qu'il n'exerce plus désormais. Comme vous l'avez sans doute deviné, je n'entretiens pas de relation suivie avec Marcus. Et je n'ai pas hâte de le revoir. D'ailleurs, je ne l'ai même pas prévenu de ma visite.

Elle haussa les épaules pour signifier son indifférence, mais ses doigts restèrent crispés.

Bram la dévisagea avec perplexité. Décidément, la situation n'était pas très claire….

— Ainsi, vous avez hérité Blackrose de votre mère ? se risqua-t-il à demander.

— Oui. Cette propriété appartient à ma famille maternelle depuis la Guerre Civile.

— Impressionnant. Mais je ne comprends pas très bien : si ce domaine vous appartient, pourquoi est-ce votre père qui en est responsable ?

— Il ne l'est pas. C'est ce qu'il s'imagine.

Elle secoua la tête, attirant une fois de plus son attention sur sa chevelure.

— C'est une longue histoire…

— Je n'ai aucun rendez-vous urgent, ce soir.

L'espace d'un instant, il crut qu'elle allait le planter là… Mais elle haussa légèrement les épaules, et il se détendit. Au fond, il n'avait pas envie de la voir partir. Elle suscitait en lui une curiosité croissante, que seule sa conversation pouvait apaiser.

— La tradition familiale veut que le domaine revienne à l'aîné des enfants. Ma mère était fille unique, mais mon grand-père n'aimait pas Marcus. Alors il a rompu la tradition et a fait du premier enfant de ma mère son héritier direct.

— Et ce premier enfant, c'est vous ?

— Oui. Mais comme ma sœur et moi étions mineures à l'époque, mon grand-père a ajouté à son testament une clause stipulant que nous ne pourrions pas hériter avant l'âge de vingt-cinq ans.

— N'est-ce pas vingt et un ans, d'habitude ?

— C'est au testamentaire de décider. Mon grand-père était cardiaque, et il savait que si un malheur lui arrivait avant que nous soyons assez âgées pour être autonomes, Marcus nous créerait des difficultés.

De nouveau, elle haussa les épaules. Malgré tous ses efforts, Bram n'avait pu s'empêcher de regarder sa poitrine se soulever et s'abaisser au rythme de son récit. Lorsqu'il s'aperçut qu'elle l'avait remarqué, il tourna le dos et entreprit de débarrasser la table.

— Comment avez-vous commencé à vous intéresser au fer forgé ? demanda-t-elle, changeant délibérément de sujet.

— Mon père et mon oncle étaient tous les deux forgerons. Quand j'étais enfant, je passais beaucoup de temps à la forge à les observer.

Il devina qu'elle souhaitait en savoir plus, mais préféra se soustraire aussitôt à sa curiosité. Son père était gravement malade — et il n'avait pas envie d'en parler.

— Et vous, Helen, que faites-vous dans la vie ? reprit-il vivement.

— Je travaille au service des acquisitions dans une galerie d'art de Boston.

— Ah oui ?

— Il n'y a rien de mal à faire ce métier, vous savez. Je suis diplômée des Beaux-Arts du Wellesley Collège, ajouta-t-elle en posant les mains sur ses hanches.

— Ai-je formulé la moindre critique ?

Elle releva le menton.

— Je suis également titulaire d'un MBA.

— Impressionnant.

— Vous vous moquez de moi.

— Pas du tout. Mais pourquoi quelqu'un d'aussi diplômé que vous se défend-il d'exercer le métier d'acheteur d'art ?

Elle hocha la tête.

— Marcus et Eden pensent que je me suis trompée de voie, mais j'apprends mon métier. Plus tard, j'ouvrirai ma propre galerie.

— C'est une bonne idée. Etes-vous artiste vous-même?

— Oh, non !

— Vous en semblez convaincue. Est-ce aussi l'avis de Marcus et d'Eden ?

Elle éclata d'un rire inattendu, qui résonna dans la clairière alentour.

— Non, mais c'était celui des enseignants de la faculté des Beaux-Arts. Mme Sang, mon professeur de dessin, est même allée jusqu'à me conseiller de me reconvertir dans la peinture en bâtiment !

— Elle n'était pas tendre avec vous…

Helen sourit, nullement décontenancée.

— Elle avait entièrement raison : je n'ai aucun talent artistique. J'ai un certain sens des couleurs et du style, et je repère les vraies œuvres d'art de loin, mais pour ce qui est de dessiner, un enfant de quatre ans se débrouille mieux que moi.

— Vous êtes nulle à ce point ?

— Tout à fait, oui. C'est vous qui avez créé le design du portail ? s'enquit-elle à brûle-pourpoint.

— Oui.

— C'est une véritable œuvre d'art, vous savez… Et cela se vendrait certainement très bien.

Dans sa bouche, cela sonnait comme une évidence.

— Vraiment ? Je suis flatté, mais…

— Ma remarque vous gêne ?

— Un peu, avoua-t-il. Après tout, ce n'est qu'un portail.

Un portail dont il avait peaufiné le décor pendant des mois.

— C'est de l'art, répéta-t-elle d'un ton catégorique.

— Pourtant, je crois me souvenir que vous avez menacé d'emboutir cette œuvre avec votre voiture.

Il n'en aurait pas juré, mais il crut la voir s'empourprer de nouveau.

— J'étais très énervée.

— Je sais. Ecoutez, ce n'est pas pour changer de sujet mais… Qu'avez-vous l'intention de faire si votre père n'est pas rentré ?

— Je n'y ai pas encore réfléchi. Et vous, où dormez-vous ?

Son corps se tendit de désir, mais il parvint à prononcer d'un ton neutre :

— Ici. Je vous inviterais volontiers, mais je n'ai qu'un sac de couchage.

Elle écarquilla les yeux, puis secoua la tête en souriant.

— Merci, mais un bon lit confortable m'attend dans la maison.

— Sans courant et en compagnie d'un éventuel intrus, êtes-vous sûre de bien dormir ?

Il ignorait ce qui l'ennuyait le plus : l'idée qu'elle retourne seule dans cette maison ou le fait qu'elle ne paraisse plus le considérer comme une menace. C'était la première raison qui était la bonne, se dit-il. Même s'il était persuadé qu'elle ne courait aucun danger, la savoir seule dans cette grande demeure lui déplaisait.

— Ne vous inquiétez pas, dit-elle comme si elle avait lu dans ses pensées. Il doit y avoir quelqu'un, maintenant. Marcus se couche avant la tombée de la nuit. Pour lui, il est très tard.

Le ton glacé qu'elle adoptait pour évoquer son père ne laissait pas de le surprendre, et il eut du mal à réfréner sa curiosité.

— Votre père s'est peut-être absenté pour quelques jours, suggéra-t-il. Vous m'avez dit qu'il ne vous attendait pas.

— Marcus quitte rarement Blackrose et ses chers rosiers. Pas depuis…

Elle s'arrêta net, avant de reprendre :

— Peu importe. Vous n'avez aucun souci à vous faire : je connais cette maison comme ma poche. Et si j'ai peur, je fermerai la porte de ma chambre à clé, voilà tout !

Bram n'était pas dupe : son ton bravache dissimulait à peine les craintes qui l'habitaient.

— Je viens avec vous, annonça-t-il fermement.

Helen garda le silence. Devinant son appréhension, il se hâta de préciser :

— Dans la maison. Je me sentirai mieux quand j'aurai inspecté un peu les lieux.

— Ce n'est pas nécessaire.

— Peut-être pas, mais il n'y a pas non plus de lettre « S » plaquée sur votre poitrine.

— Je vous remercie, mais…

— Ecoutez, Helen : si j'avais décidé de m'en prendre à vous, il y a longtemps que je serais passé à l'acte. Je ne suis pas du genre à agresser les jeunes femmes.

Elle leva le menton d'un air de défi :

— Vous les préférez plus âgées, c'est ça ?

— C'est cela, acquiesça-t-il d'un ton brusque, vous ne faites pas l'affaire. Allons, venez…

Sans plus attendre, il s'empara de son sac de voyage et s'engagea sous les arbres. Pour un peu, il aurait regretté son offre. Se porter au secours des demoiselles en détresse ne lui ressemblait guère. Il était un solitaire, et s'il voulait le rester, mieux valait éviter de fréquenter la fille de son patron…

La haute demeure se dressa soudain devant lui, balayant ses doutes. Une étrange menace semblait planer sur Blackrose. La vieille bâtisse, qui ressemblait davantage à un château hanté qu'à une maison de famille, lui fit froid dans le dos. Non vraiment, pas question de laisser Helen dormir seule là-dedans !

Helen dut allonger le pas pour pouvoir suivre Bram, qui semblait l'ignorer totalement. Comment pouvait-il se montrer charmant, puis complètement odieux l'instant d'après ? Dieu merci, il ignorait tout des fantasmes qui l'avaient assaillie durant leur paisible dîner. C'était parfaitement ridicule, bien sûr, mais elle n'avait jamais été aussi attirée par un homme.

Ni aussi irritée…

Il l'intriguait, aussi. Alors qu'il affirmait être indifférent à son charme, il avait clairement partagé son émotion lorsque leurs doigts s'étaient frôlés. Pour elle, qui avait l'habitude de séduire les hommes sans être séduite elle-même, ce moment avait été extrêmement troublant... Jamais elle n'avait éprouvé une telle réciprocité. D'autant qu'il n'était pas son type d'homme. Elle préférait les blonds bon chic bon genre aux bruns ténébreux.

La maison se dressa devant ses yeux, ravivant ses craintes. La présence de Bram à son côté la rassurait, pourtant. Elle réprima un frisson en songeant à ce qu'elle aurait éprouvé s'il lui avait fallu entrer seule dans le hall plongé dans l'obscurité... Son regard se porta vers la fenêtre où elle avait cru apercevoir un mouvement, plus tôt dans la soirée. Et de nouveau, un profond malaise l'envahit.

Ouvrant la porte, elle entra d'un pas décidé et chercha l'interrupteur du bout des doigts. Cette fois, le grand lustre s'illumina... révélant une impressionnante couche de poussière et plusieurs ampoules manquantes. Une nouvelle fois, Helen appela. Personne ne répondit.

— Vous ne pouvez pas rester ici, dit Bram d'un ton ferme.

Elle aurait voulu acquiescer, mais elle s'entêta :

— Personne ne me chassera de ma propre maison. Quant à vous, si vous avez envie de changer d'ambiance, rien ne vous empêche de passer la nuit ici avec moi.

Elle se mordit la langue — trop tard : Bram la regardait fixement, une lueur chaude au fond des yeux.

— Je ne voulais pas dire *avec* moi, rectifia-t-elle en butant sur les mots. Je voulais dire, euh... dans un lit. Il y a plusieurs chambres vides, ici, et vous pourriez en choisir une. Cela vous changerait de votre sac de couchage sous la tente. Puisque vous vous inquiétez de me savoir seule ici...

Voilà qu'elle bégayait comme une collégienne à son premier rendez-vous ! S'il lui restait encore une once de bon sens, elle aurait dû se précipiter vers sa voiture et démarrer. Que lui prenait-il, d'inviter un parfait étranger à passer la nuit avec elle ? Malgré sa gentillesse et son indéniable sex-appeal, elle n'était même pas sûre de l'apprécier vraiment.

Non, ce n'était pas tout à fait juste. Elle l'aimait bien, en fait. Peut-être même trop. Et aussi étrange que cela puisse paraître, elle se sentait en sécurité avec lui.

— Je ne suis pas sûr que votre père approuverait, objecta Bram.

Elle se raidit.

— Pourquoi ? Je ne suis plus une enfant. Et comme je vous l'ai dit, cette maison est à moi, pas à lui.

— Peut-être, reprit Bram sans se départir de son calme. Mais c'est lui qui m'a embauché.

Helen hocha la tête. Devait-elle rester ou partir ? Mal à l'aise, elle promena un regard autour d'elle. Jamais elle n'avait été seule entre ces murs. Même quand sa mère ou son grand-père s'absentaient, Kathy ou Mme Walsh étaient là. Où étaient-elles, aujourd'hui ? La gouvernante et sa fille faisaient pratiquement partie de la famille. Tout cela était si étrange…

Le mieux était peut-être de partir. Mais pour aller où ? L'hôtel le plus proche était à vingt minutes de route. Or, son long voyage en voiture depuis Boston l'avait épuisée, et elle venait de boire deux verres de vin. Que ferait-elle si l'hôtel, le seul à des kilomètres à la ronde, était complet ?

Allons ! se reprit-elle vivement. Elle ne devait pas laisser son imagination prendre le dessus. Son père serait sans doute bientôt rentré : il quittait rarement la propriété et détestait se coucher tard.

La sonnerie du téléphone rompit brusquement le silence. Soulagée par ce son familier, Helen adressa un léger sourire à Bram.

— Excusez-moi un instant...

Elle traversa rapidement le salon pour se rendre dans la bibliothèque. En ouvrant à la volée la lourde porte de bois massif, elle actionna par mégarde l'interrupteur. Soulagée de constater que les lumières s'allumaient ici aussi, elle retrouva avec plaisir cette pièce familière. Si le reste de la maison lui semblait froid et étrange, la bibliothèque, elle, ne lui rappelait que des souvenirs heureux.

Elle accéléra le pas, craignant que son interlocuteur ne raccroche avant que le répondeur ne se déclenche. Bram, qui l'avait suivie, se tint sur le seuil de la porte, examinant la pièce tapissée d'opulentes boiseries et de livres anciens.

— Allô ?

A l'autre bout du fil, elle entendit un souffle court, puis une voix de femme résonna à son oreille.

— Qui est à l'appareil ?

Helen reconnut sans peine la voix nasillarde de sa belle-mère.

— Eden, c'est moi, Helen.

— Que fais-tu là ?

— Mais enfin, je suis chez moi, que je sache !

Eden travaillait déjà avec Marcus avant la naissance d'Helen. Elle ne s'était jamais montrée particulièrement aimable, mais jusqu'à la disparition d'Amy, elle n'avait pas non plus cherché à lui nuire.

— Je voudrais parler à Mme Norwhich, dit Eden.

— Qui ça ?

— A la nouvelle gouvernante.

— Où donc sont Mme Walsh et Kathy ?

Eden soupira.

— Elles ont démissionné. Mme Norwhich est-elle là ?

— Quand ont-elles démissionné ? Et où sont-elles parties ?

— Je n'ai pas le temps d'en parler, Helen. Elles ont accepté une autre place, voilà tout ! Passe-moi Mme Norwhich.

Helen s'efforça de garder son calme.

— Elle n'est pas là. Je suis seule ici.

— Où est ta sœur ?

— Leigh est encore en Angleterre.

De nouveau, Eden poussa un soupir.

— Je suppose que le courant est rétabli ?

— Oui.

— Enfin une bonne nouvelle... Marcus est couché, et je ne veux pas le réveiller. J'ai déjà eu beaucoup de mal à le convaincre de venir passer la nuit à l'hôtel. Ces maudites coupures de courant sont incessantes, en ce moment... Un problème de transformateur, si j'ai bien compris. Comme l'hôtel dispose d'un groupe électrogène, je suis assurée d'avoir de l'eau chaude et du café demain matin. Nous avons été très ennuyés sans courant, crois-moi. Odette a dû décider de passer la nuit en ville, elle aussi.

— Qui est Odette ?

— Mme Norwhich, expliqua Eden d'un ton brusque. Ton père et moi rentrerons après le petit déjeuner.

— Un instant... Y a-t-il quelqu'un d'autre, dans la maison ?

— Non. Mme Kerstairs, la femme de ménage, ne vient que quelques heures par jour. Evidemment, sans électricité, elle n'a pas pu beaucoup travailler cette semaine !

Jetant un œil à l'épaisse couche de poussière qui recouvrait la table, Helen estima que le ménage n'avait pas été fait depuis *très* longtemps, mais elle se garda bien d'en faire la remarque à sa belle-mère.

— Ah, si : il y a le forgeron que Marcus a embauché pour installer les nouvelles portes, ajouta Eden. Je ne me souviens plus de son nom, mais il campe à côté des anciennes écuries.

— M. Myers. J'ai fait sa connaissance.

— Ecoute, si tu ne veux pas dormir seule à Blackrose, tu devras rouler jusqu'à Saratoga Springs. A Stony Ridge, tout est complet. Le village entier s'est installé à l'Auberge, à cause de cette histoire de courant. Si Mme Norwhich revient, dis-lui qu'elle n'aura pas besoin de préparer le petit déjeuner demain matin. Je préviendrai ton père de ton arrivée.

Eden raccrocha.

— Comme c'est aimable, murmura Helen dans le combiné, avant de le reposer sans ménagement sur son socle.

Très embarrassée, elle leva les yeux. A l'autre bout de la pièce, Bram l'observait en silence. Appuyé contre le chambranle de la porte, les chevilles croisées, il était trop sexy pour qu'elle s'attardât à le contempler. Soudain, elle sentit son estomac se serrer et l'air lui manquer. Seigneur ! Comment pouvait-elle désirer un homme à ce point ?

— Tout va bien ? demanda-t-il.

— Oui. Marcus et Eden sont allés passer la nuit à l'hôtel à cause des coupures d'électricité.

Il fronça les sourcils. Puis s'approcha, d'une démarche féline qui fit accélérer son cœur.

— Vous allez les rejoindre ?

— Non, répondit-elle sans pouvoir réprimer un frisson.

— J'ai l'impression que j'ai de la chance de ne pas être un patient de votre père.

Helen esquissa un sourire ironique.

— En effet, car vous seriez un cas rarissime : mon père est gynécologue obstétricien.

Il sourit, d'abord avec les yeux, puis avec les lèvres, qui s'étirèrent en un sourire si ravageur qu'une nouvelle fois, Helen sentit son pouls s'emballer.

— Comme vous dites ! Venez avec moi. Je vais chercher mes affaires au campement, puis nous reviendrons ici choisir une chambre.

Cette proposition était délibérément ambiguë, et le rouge lui monta aux joues. Quel effet cela lui ferait-il de l'embrasser ?

Cette question lui occupa l'esprit tandis qu'ils regagnaient les écuries d'un pas moins soutenu. En le regardant éteindre sa forge et ranger ses outils, elle admira ses gestes, savamment étudiés. Faisait-il l'amour de la même manière ?

Quelle impertinente pensée ! Elle aurait aimé le connaître davantage, mais un dîner lui avait suffi pour comprendre qu'il n'aimait guère s'épancher. Il avait adroitement éludé toutes ses questions… Si bien qu'elle ignorait tout de lui — hormis qu'il était trop sexy pour être honnête et faisait des merveilles avec un peu de métal rougi par les flammes.

Il enfila une veste, avant de lui ouvrir la voie, sa torche à la main.

Lorsqu'ils arrivèrent dans le jardin, Helen stoppa net. Les lumières qu'ils avaient laissées allumées étaient de nouveau éteintes.

— Une nouvelle coupure ?

Bram observa la maison.

— Je vais voir. Attendez-moi ici.

Sans l'écouter, elle lui emboîta le pas. Libre à lui de la traiter de peureuse… puisqu'elle en était une ! L'idée de rester seule dans le parc lui donnait la chair de poule.

Comme Bram balayait le hall avec le faisceau de sa torche, Helen garda les yeux rivés en haut de l'escalier obscur, convaincue que des yeux invisibles les épiaient. Quand Bram lui effleura l'épaule, elle sursauta.

— Eh, c'est moi…

Suivant son regard, il braqua sa torche en haut de l'escalier : rien. Elle ne fut pas soulagée pour autant, hélas.

— Que diriez-vous de dormir dans la bibliothèque ? lança-t-il d'un ton qui se voulait rassurant. Les canapés m'ont paru très confortables. Cela nous évitera de visiter les étages dans le noir…

— Excellente idée, acquiesça-t-elle, remisant sa fierté aux oubliettes. D'autant que nous pourrons utiliser la salle de bains qui se trouve près de la salle d'attente.

Elle ne mentionna pas les deux chambres d'amis qui jouxtaient la salle de bains. Si partager une pièce avec deux canapés ne lui posait aucun problème, elle pouvait difficilement lui demander de partager une chambre à un seul lit.

— Il y a des bougies dans le placard de la bibliothèque, indiqua-t-elle. Nous pourrions même faire du feu, si nous manquons de lumière.

— Laissez tomber. Il fait au moins vingt-huit degrés dehors : je doute que vous ayez froid pendant la nuit.

Amusée malgré elle, Helen laissa échapper un petit rire. Fallait-il qu'elle soit troublée pour proposer de faire du feu en plein été ! Guidée par la torche de Bram, elle prit le chemin de la bibliothèque. Par chance, les bougeoirs se trouvaient à leur place, et la jeune femme en disposa plusieurs sur la table basse qui séparait les deux canapés. Elle trouva même une grosse bougie pour la salle de bains. Les couvertures tricotées par sa grand-mère étaient rangées dans une armoire, et même si la température ne l'exigeait pas, elle en prit quelques-unes pour s'emmitoufler dans leur douceur.

Elle plia une des couvertures en guise d'oreiller et s'étendit sur le canapé en s'efforçant de ne pas observer son compagnon.

Etrangement, elle était presque déçue de constater qu'il n'avait aucun mal à se comporter en parfait gentleman : déjà, il fermait les yeux, happé par le sommeil… A la lueur tremblotante des bougies, les traits de son visage s'adoucirent, le rendant plus séduisant encore.

Elle se força à fermer les yeux à son tour, et tâcha de se détendre. Au fond, elle était plus fatiguée qu'elle ne le pensait… La route, sans doute. Et les émotions qui avaient marqué son arrivée à Blackrose. Dès demain, elle tenterait de comprendre ce qui s'était passé. Mais ce soir… ce soir, elle devait se reposer. Le visage de Bram s'estompa peu à peu, et elle s'endormit profondément.

Des murmures la tirèrent d'un sommeil lourd et sans rêve. La pièce était plongée dans une obscurité totale.

On avait éteint les bougies.

Sans bouger, elle tendit l'oreille. Les murmures qu'elle avait entendus faisaient-ils partie d'un rêve ? Elle n'entendait plus rien, désormais. Tournant les yeux, elle s'aperçut que le canapé voisin du sien était vide.

Bram était parti !

Repoussant sa couverture, elle s'assit, puis tendit la main vers la bougie. La cire était encore chaude. Bram venait sans doute de la souffler, mais pourquoi ?

De nouveau, elle entendit des murmures étouffés. Il y avait quelqu'un dans le bureau de son grand-père, à côté de la biblio-thèque. En silence, elle se leva et tendit l'oreille, mais elle ne parvint pas à distinguer le sens des paroles. Elle n'aurait pas su dire non plus si les voix étaient féminines ou masculines. A pas de loup, elle s'avança vers la porte du bureau qui, elle en était sûre, était fermée quand elle s'était couchée.

Dans le bureau, il faisait à peine moins sombre que dans le reste de la maison. Où donc était le clair de lune ? Les rideaux étaient à demi tirés, et elle aurait dû distinguer quelque chose. Brusquement, les murmures cessèrent.

Elle eut envie d'appeler Bram, mais la prudence lui dicta de se taire. Elle sentait d'instinct qu'il valait mieux que l'on ne devine pas sa présence. Si Bram avait soufflé les bougies, c'était précisément pour qu'elle ne voie pas son interlocuteur. Soudain, le malaise qu'elle avait ressenti la veille s'empara de nouveau d'elle.

Quand elle se cogna l'orteil contre le pied du bureau de son grand-père, elle se mordit les lèvres pour ne pas crier.

L'avaient-ils entendue ?

Elle retint son souffle. Le silence total qui régnait désormais dans la pièce était plus oppressant encore que les murmures. Elle sentait le danger si proche, si palpable, qu'elle eut envie de s'enfuir en courant. Son cœur battait si fort qu'elle avait l'impression qu'on l'entendait résonner jusque dans le hall.

Quelqu'un savait qu'elle était là.

Elle tâtonna, cherchant le bureau, mais ses doigts ne rencontrèrent que le vide. « Reste calme » s'exhorta-t-elle. Elle connaissait cette maison, tout de même ! Il suffisait de faire demi-tour et de continuer tout droit. La porte de la bibliothèque se trouvait juste devant elle.

Tout comme la silhouette qui, soudain, lui barrait le passage.

3.

— Mais enfin qu'est-ce qui vous prend, de déambuler comme ça dans le noir ? demanda Bram en l'empoignant fermement par les épaules.

Ivre de soulagement, elle se mit à lui marteler la poitrine de coups de poing.

Il relâcha immédiatement sa pression.

— Cessez donc de me surveiller ! dit-il d'un ton de reproche. C'est la deuxième fois que je vous y prends. Vous croyez que ça m'amuse ?

— Je ne vous surveillais pas, je vous cherchais. Pourquoi avez-vous éteint les bougies ? Il fait noir comme dans un four, ici !

— Ce n'est pas moi qui ai soufflé les bougies. C'est vous !

— Pas du tout ! Elles ont dû s'éteindre toutes seules, marmonna-t-elle. A qui parliez-vous ?

Elle le sentit se crisper.

— A personne, Helen. Vous avez dû rêver. Je suis allé aux toilettes, c'est tout.

— Ne me dites pas ça. Je vous ai entendu !

— Je ne sais pas ce que vous vous imaginez avoir entendu, mais ce n'était pas moi.

Un frisson lui glaça la nuque : il disait la vérité, et elle le savait.

— Alors, nous ne sommes pas seuls ici. J'ai très distinctement entendu deux personnes parler à voix basse. Et ce n'est pas moi qui ai éteint les bougies, je vous assure.

Bram marmonna quelque chose qui ressemblait à un juron, puis il lança :

— Allons-y. Je vais chercher ma lampe torche.

— Pourquoi ne l'avez-vous pas sur vous ?

— Quand j'ai voulu la prendre, tout à l'heure, elle était tombée de la table, et je n'ai pas voulu vous réveiller en la cherchant. Je ne croyais pas en avoir besoin pour me rendre jusque dans la salle de bains, mais j'ignorais que nous ferions une promenade nocturne. Venez, vous m'aiderez à la chercher !

Bram lui prit la main. Puis, aussi à l'aise dans le noir qu'un chat, il la raccompagna jusqu'à la bibliothèque sans hésiter une seule fois sur l'itinéraire. Pas étonnant qu'il n'ait pas eu besoin de sa lampe pour traverser le vestibule !

Elle se sentait tellement en sécurité, sa main dans la sienne, qu'elle regretta presque qu'il la lâche.

— Je crois que ma lampe a roulé sous la table, dit-il.

Elle se baissa pour inspecter la moquette sous la table basse, tandis qu'il faisait de même de l'autre côté. Quelques instants plus tard, alors que ses doigts ne rencontraient que le vide, elle entendit un cri de satisfaction :

— Je l'ai trouvée !

Le faisceau qu'il projeta sur les murs de la pièce avait perdu de sa puissance.

— J'imagine que vous n'avez pas de piles de rechange ? demanda-t-il.

— Dans la cuisine, peut-être.

Bram posa sa lampe torche sur la table et ralluma les bougies.

— Je vais jeter un coup d'œil. Attendez-moi ici.

— Non ! Nous ne sommes pas seuls. Et les intrus sont peut-être armés !

— J'en doute.

Son ton sceptique l'agaça.

— Vous ne me croyez pas, c'est ça ?

— Je n'ai pas dit cela.

— Mais vous le pensiez, je le sens bien.

— Ecoutez…

— Il y avait deux voix, dit-elle d'un ton ferme. L'une d'elles était la vôtre, n'est-ce pas ? Oui, il n'y a pas d'autre solution. Pourquoi me mentez-vous ? Avec qui étiez-vous ?

— Calmez-vous.

Furieuse, Helen contourna le canapé et posa un doigt menaçant sur son torse.

— Ne me dites pas de me calmer. Je veux savoir ce qui se passe ici !

Ecartant sa main, il alla chercher sa chemise, qu'il avait posée sur le dossier du canapé.

— Pour l'instant, je l'ignore. Mais j'ai bien l'intention de le découvrir.

Il n'avait pas élevé la voix, mais ses propos avaient des accents d'autorité qui suffirent à la rassurer.

— Alors, quelle explication pouvez-vous me donner ? demanda-t-elle avec une pointe de sarcasme.

Il enfila sa chemise, puis gratta sa joue bleuie par la barbe de la nuit.

— Vous est-il jamais arrivé de réaliser que vous rêviez sans parvenir à vous réveiller, puis de vous réveiller sans parvenir à sortir complètement de votre rêve ?

— Je n'ai rien rêvé du tout ! Croyez-vous que j'ai éteint les bougies en rêve ?

Il la dévisagea avec gravité.

— Les bougies étaient allumées quand j'ai quitté la bibliothèque. En sortant de la salle de bains, j'ai retrouvé mon chemin à tâtons. En arrivant devant la bibliothèque, je vous ai entendue bouger dans la pièce voisine, alors je suis allé voir...

Helen frissonna. Il semblait sincère. Etait-il possible qu'elle ait rêvé ?

Un son étouffé en provenance du vestibule les pétrifia tous deux. Vif comme l'éclair, Bram s'élança vers le grand salon. L'instant d'après, Helen entendit un bruit de lutte. S'emparant de la lampe torche, elle se précipita sur le palier. Braquant le faisceau sur la porte, elle distingua deux silhouettes enchevêtrées.

— Jacob ?

Bram avait plaqué le jeune homme contre le mur, et lui bloquait la gorge avec son avant-bras. Le dragon tatoué sur sa peau semblait sur le point de cracher des flammes.

— Vous le connaissez, Helen ? demanda-t-il d'une voix rauque.

— C'est Jacob, le fils d'Eden. Lâchez-le, Bram.

Il obtempéra, non sans lancer au jeune homme un regard dur. Il semblait sur ses gardes, prêt à bondir de nouveau à la moindre provocation.

Jacob se frotta le cou d'un air furibond.

— C'est toi, Helen, articula-t-il, s'avançant dans la lumière.

Afin de ne pas l'éblouir, elle abaissa le faisceau de la torche.

— Que se passe-t-il ? reprit le fils d'Eden. Qui est cet homme ?

52

— C'est Bram Myers. Marcus l'a embauché comme...

— Comme cerbère, je suppose ? coupa le jeune homme en gratifiant son agresseur d'un regard mauvais.

— Non, comme forgeron. C'est lui qui fabrique et installe les barreaux en fer forgé dans la propriété.

— Ah ! J'ai remarqué le nouveau portail. Mais pourquoi avoir ôté les lions ?

Helen lança un regard entendu à Bram, mais ce dernier ne lui accorda aucune attention. Tel un prédateur prêt à fondre sur sa proie, il ne quittait pas Jacob des yeux.

— Peut-on savoir ce que vous fabriquez ici au beau milieu de la nuit ? maugréa-t-il.

— Ma mère habite ici.

S'adressant à Helen, Jacob poursuivit :

— Mais que se passe-t-il ici ? Où sont-ils tous, et pourquoi n'y a-t-il plus de lumière ?

Tandis qu'Helen lui expliquait rapidement la situation, Bram lança :

— Vous n'étiez pas attendu, n'est-ce pas ?

— Euh... non, je voulais faire une surprise, répondit le jeune homme en les dévisageant tour à tour.

— Tu tombes mal, déplora la jeune femme, et tu nous as fait une belle frayeur. Je crois que quelqu'un se cache dans la maison.

— Tu plaisantes !

— Helen a entendu des voix, précisa Bram d'un ton neutre.

— Vous avez appelé la police ?

— Non, répondit Helen.

— Cette maison est trop grande pour être fouillée dans le noir, ajouta Bram.

— Oui, mais les policiers ont sans doute un groupe électrogène… S'il y a vraiment quelqu'un ici, nous ferions mieux de les appeler, non ?

— C'est à Helen d'en décider, répliqua Bram.

Ennuyée, la jeune femme haussa les épaules.

— Je doute qu'ils nous soient d'un grand secours.

— Ecoute, Helen, je sais que tu n'apprécies pas les policiers du coin mais, si un intrus s'est introduit dans la maison, il faut les avertir, bon sang ! protesta Jacob.

Bram le gratifia d'une œillade perplexe, avant de se tourner vers la jeune femme. Il cherchait manifestement à comprendre le sens de sa remarque… mais Helen estima que le moment était mal choisi pour lui expliquer ce qu'elle avait contre la police locale.

— Je ne suis pas de ton avis, répliqua-t-elle. De toute façon, s'il y avait un rôdeur ici, notre petite scène l'a sûrement fait déguerpir ! Nous devrions retourner dans la bibliothèque et attendre que le jour se lève ou que le courant revienne.

Jacob regarda Bram, qui haussa les épaules.

— On fait comme Madame a dit…

Ils regagnèrent la bibliothèque en silence. Helen se laissa tomber sur un des canapés, et Bram prit place à côté d'elle. Jacob les observa tour à tour, puis il s'enquit, manifestement intrigué :

— Vous vous connaissez, tous les deux ?

— Pas vraiment.

— Oui, répondit Bram en même temps qu'elle. Nous passions une soirée tranquille quand tout ce cirque a commencé…

— Ah, répondit Jacob, perplexe. Et euh… où est ta sœur ?

— Elle passe des vacances en Angleterre.

— Ah, oui, maman m'en avait parlé, dit Jacob. Une dernière escapade avant de commencer un nouveau travail, c'est ça ?

Il s'installa sur l'autre canapé, et laissa échapper un bâillement. Il avait l'air fatigué, presque indifférent à ce qui se passait autour de lui.

— Dis-moi, Helen, reprit-il, as-tu rencontré les nouveaux domestiques de maman ?

— Non. Je ne savais même pas que Mme Walsh et Kathy étaient parties !

— Vraiment ? Je pensais que tu étais au courant.

— Non, je viens juste d'apprendre leur départ. J'ai eu ta mère au téléphone, qui m'a dit qu'elles avaient récemment accepté une proposition.

Jacob fronça les sourcils.

— Ah bon ? Je croyais qu'elles avaient démissionné quand toi et Leigh aviez cessé de venir à Blackrose ! En tout cas, maman a un mal fou à les remplacer… Cette Mme Norwhich est la cinquième ou sixième gouvernante qu'elle embauche, je crois. Elle ressemble un peu à ton ami Bram, en plus vieux. Il ne lui manque que le tatouage. Elle est un peu bizarre, mais ce n'est rien à côté de la nouvelle femme de ménage : attends de faire sa connaissance… Remarque, c'est peut-être Mme Norwhich et Paula Kerstairs que tu as entendues rôder dans la maison…

Helen secoua la tête.

— Ça m'étonnerait. Ta mère m'a dit que Mme Norwhich passait la nuit en ville. Et puis, ne crois-tu pas qu'elle m'aurait réveillée si elle m'avait trouvée endormie sur le canapé en rentrant, alors qu'elle ne me connaît pas ?

— Sans doute, convint Jacob.

— Elle a peut-être essayé, suggéra Bram. Vous avez le sommeil très profond, vous savez. Vous ne vous êtes même pas retournée quand je me suis levé.

Les paroles de Bram suggéraient une telle intimité entre eux qu'elle frissonna malgré elle. A l'entendre, ils avaient partagé le même canapé ! Avant qu'elle puisse le reprendre, Jacob bâilla à s'en décrocher la mâchoire.

— Excusez-moi. Je suis resté bloqué des heures sur l'autoroute à cause d'un carambolage. Je suis trop fatigué pour me soucier des rôdeurs, ce soir. Qu'ils fassent ce qu'ils veulent, du moment qu'ils me laissent dormir ! Ça vous dérange si je m'installe en haut ?

— Prenez le canapé, l'invita Bram d'un ton ferme. Helen préfère que nous restions ensemble.

— Mais il n'y a que deux canapés, ici, répliqua Jacob.

— Ce n'est pas grave. Helen et moi, nous pouvons en partager un, n'est-ce pas, Helen ?

Elle ouvrit la bouche pour protester, mais une flamme impérieuse dans le regard de Bram l'en empêcha. Il avait raison : Jacob ne pouvait pas s'isoler tant qu'ils ne savaient pas ce qui se passait dans la maison.

— Installe-toi sur le canapé, Jacob. Je ne suis plus fatiguée, et je sens que Bram a envie de me raconter sa vie dans les moindres détails — à commencer par les circonstances qui lui ont valu l'apparition de ce tatouage. N'est-ce pas, Bram ? lança-t-elle avec une douceur feinte.

Son compagnon ne put retenir un sourire.

— Je ne souhaite infliger à personne le récit de ma vie, mais je suis sûr que nous trouverons des sujets de conversation passionnants, rétorqua-t-il d'un ton jovial. Que diriez-vous de commencer par ce que nous avons en commun ? Ne vous inquiétez pas, Jacob, nous parlerons tout bas.

— Euh… oui, bien sûr, répondit ce dernier, visiblement perplexe.

Helen s'étendit sur le canapé, et Jacob l'imita avec un soupir de contentement. Il semblait sincère… mais son irruption paraissait trop à propos pour être due au hasard, et Bram soupçonnait que si Helen avait entendu des voix, l'une d'elles pouvait bien être la sienne…

— N'hésitez pas à me réveiller si vous entendez le moindre bruit suspect, exhorta le jeune homme en réprimant un nouveau bâillement.

— Vous pouvez compter sur moi, promit Bram.

Il s'allongea à son tour, lovant son corps contre celui d'Helen. Pour chasser le trouble qui l'envahissait, il rompit aussitôt le silence.

— Parlez-moi de la galerie où vous travaillez…

— Je préférerais que vous me parliez de vous.

— Vous m'en voyez flatté, mais…

— Pas du tout, coupa-t-elle. Je fais la conversation, rien de plus. Alors, où vous êtes-vous fait tatouer ce dragon ?

— Vous voulez le même ?

— Décidément, vous faites exprès d'être désagréable !

— Des années de pratique…

— Ce dragon cache-t-il un secret ? Votre appartenance à un gang, par exemple ?

— Un gang ! Vous êtes bien romanesque, mademoiselle Thomas, ironisa-il pour changer de sujet.

Mais l'expression déterminée de la jeune femme lui indiqua qu'il avait échoué.

Il soupira.

— Si vous voulez absolument le savoir, j'ai découvert ce tatouage à mon réveil, après une soirée bien arrosée.

Il détestait évoquer cette période de sa vie. Pourtant, il ne se rappelait pas grand-chose, et surtout pas la manière dont ce tatouage s'était retrouvé sur son bras, ni pourquoi. A cette époque, il passait son temps à boire.

— Je vois, souffla-t-elle en effleurant du doigt l'aile du dragon.

Sa caresse légère fit courir un frisson dans tout son corps. Il fit un effort désespéré pour penser à autre chose, mais les grands yeux innocents de la jeune femme, qui ne quittaient pas les siens, lui compliquaient considérablement la tâche. Si seulement il avait pu s'empêcher de regarder ses lèvres si douces, qui semblaient attendre un baiser !

— Vous m'avez dit que votre père et votre oncle étaient tous deux forgerons. Est-ce avec eux que vous avez appris votre métier ? demanda-t-elle soudain.

Ce n'était pas non plus son sujet favori, mais si cela pouvait lui permettre de se ressaisir, il serait ravi de lui parler de son travail.

— Oui. Mon oncle travaillait le fer pur, comme cela se faisait avant que les industriels de l'automobile inventent des métaux plus malléables.

Il continua ses explications, puisant dans ses souvenirs pour se remémorer certains détails. Enfant, il passait des heures à regarder forger son père et son oncle, et à écouter leurs histoires.

Il constata avec surprise que Helen se montrait attentive à son récit. Même après avoir fermé les yeux, elle posa quelques questions pour signifier qu'elle l'écoutait toujours. Mais bientôt, sa respiration se ralentit, et Bram sentit sa tête basculer doucement contre son épaule.

Incapable de résister, il effleura ses cheveux du bout des doigts. Il ne s'était pas trompé : ils étaient doux comme de la soie. Humant son shampooing, il constata avec plaisir qu'elle n'aimait pas les parfums trop capiteux. Décidément, cette jeune femme avait presque tout pour lui plaire !

58

En face d'eux, Jacob dormait. Saisissant la couverture, Bram l'étendit sur Helen, puis il se blottit de nouveau contre elle. Elle remua dans son sommeil et sa tête vint se nicher contre son torse, tandis que ses longs cheveux caressaient sa peau nue.

Troublé, Bram laissa échapper un soupir. Comment avait-il pu oublier le plaisir incomparable qu'il y avait à tenir une femme dans ses bras ? Pourtant, il ne pouvait rien se permettre avec Helen : il était bien trop vieux et trop désabusé pour se laisser aller aux sentiments qu'elle lui inspirait.

Son père le lui avait bien dit : il ne trouverait pas la liberté tant qu'il n'aurait pas vaincu les fantômes qui le hantaient. Longtemps, il avait craint que ce moment ne vienne jamais… Mais cette nuit, aussi étrange que cela paraisse, il pressentait confusément que l'heure était peut-être venue d'affronter son passé.

Des grains de poussière dansaient dans le soleil quand Helen s'éveilla. Elle était étendue sur le canapé, la couverture remontée sur les épaules. Dans une pièce vide et silencieuse.

Où était Bram ? Avait-elle fini par s'endormir dans ses bras ? Elle avait cru sentir ses lèvres l'effleurer quand il l'avait allongée sur le canapé. L'avait-il vraiment embrassée, ou était-ce l'effet de son imagination ? En regardant autour d'elle, elle constata que son petit sac de voyage n'était plus là. Jacob avait dû le monter, estima-t-elle, puisque Bram ignorait où se trouvait sa chambre. Intriguée malgré tout, elle décida de se lever. Rejetant sa couverture, elle la plia, puis se rendit dans le hall.

La porte menant au cabinet de Marcus était restée ouverte. Incapable de réfréner sa curiosité, Helen jeta un œil à l'intérieur. Même à la lumière du jour, la pièce dégageait une atmosphère sinistre.

— Vous cherchez quelque chose ?

Bram ! Elle pivota sur ses talons — et son cœur manqua un battement. Si l'obscurité masquait ses traits la veille au soir, ce matin, rien ne venait adoucir le dessin de sa mâchoire et l'éclat profond de ses yeux noirs. Il était plus séduisant que véritablement beau. Maintenant qu'elle le voyait en pleine lumière, elle comprenait mieux pourquoi Jacob l'avait écouté, la nuit précédente. Doté d'un charisme indéniable, il inspirait une confiance immédiate, presque instinctive.

Changé, rasé de près, il avait enfilé un jean et un T-shirt noirs. Malgré les fines ridules qui marquaient les coins de sa bouche et de ses yeux, il paraissait plus jeune que la veille. Ses cheveux encore humides après sa douche bouclaient légèrement sur sa nuque. Naturellement sexy, il semblait inconscient de son charme...

Mais il ne tarderait pas à le mesurer si elle continuait à le dévisager ainsi ! comprit-elle avec embarras. Brisant le silence, elle désigna la pièce d'un grand geste du bras.

— Je... je voulais voir cette pièce de jour.

Joignant le geste à la parole, elle s'avança à l'intérieur.

Une rangée de chaises poussiéreuses étaient alignées devant les fenêtres tendues de lourds rideaux de velours. Le bureau de la secrétaire, de style danois contemporain, semblait totalement déplacé dans cette pièce plutôt classique, mais il avait pour fonction de barrer l'accès à la lourde porte à double battant qui menait jadis à la grande salle de réception, et donnait désormais sur la salle d'examens de Marcus.

C'était là que l'observateur invisible était tapi, la veille au soir.

— Hitchcock aurait adoré cet endroit, murmura Bram dans son dos.

Il avait raison. Même en plein jour, cette pièce inspirait le malaise. Contournant le bureau, Helen tendit la main vers la poignée de la porte. Elle était fermée à clé, ainsi que Bram le lui avait dit la veille.

— Que faites-vous ? demanda-t-il.

— Je ne sais pas. Je cherche peut-être la preuve que je n'ai pas rêvé, cette nuit.

Quand Bram lui toucha l'épaule, elle sentit son cœur s'emballer.

— Avez-vous rêvé ?

— Non.

Il hocha la tête. Que pensait-il ? La prenait-il pour une jeune femme trop émotive et un peu crédule ?

— J'ai monté votre sac.

— Ah oui ?

— Mme Norwhich m'a montré où se trouvait votre chambre.

Ainsi, il avait vu sa chambre, où étaient encore accrochés des posters datant de ses années de lycée ! Qu'en avait-il pensé ?

— Vous avez donc rencontré Mme Norwhich ? lança-t-elle pour chasser cette question de son esprit.

— Oui. Elle est arrivée vers 6 heures ce matin. Elle n'a pas semblé surprise de trouver la maison occupée. Elle m'a suggéré de prendre une douche et a proposé de me préparer un petit déjeuner.

— Comment se fait-il qu'elle sache où se trouve ma chambre ? Je n'ai jamais rencontré cette femme…

— Je ne sais pas. J'ai déposé vos affaires dans la troisième pièce, à droite du couloir.

— C'est bien ma chambre, confirma-t-elle. Où est Jacob ?

— Il est sorti, après avoir suggéré à Mme Norwhich de compter l'argenterie !

Il pinça les lèvres, puis ajouta :

— Je doute que votre ami m'apprécie beaucoup.

— Ce n'est pas étonnant... Un peu plus, et vous lui cassiez la figure, hier soir ! souligna Helen en replaçant une mèche rebelle derrière son oreille. Bon... Je vais monter prendre une douche, moi aussi.

— J'ai mis des serviettes propres dans votre chambre, énonça une voix dans son dos.

Helen se retourna. Une femme se tenait sur le seuil. Entre deux âges, vêtue d'un chemisier à fleurs et d'un pantalon ample qui semblait flotter sur sa silhouette osseuse, elle paraissait droit sortie d'un film d'épouvante. Ses cheveux blonds striés de blanc étaient rassemblés en un chignon lâche sur le sommet de sa tête. Son visage allongé, au teint cireux, était ridé et comme figé dans un rictus permanent. Elle tenait un plumeau à la main, et un seau plein de produits ménagers était posé à ses pieds.

— Personne ne doit entrer ici, reprit-elle d'un ton sévère. C'est ce qu'ils m'ont dit : personne dans le cabinet.

Une nouvelle fois, Helen songea à ces vieux films d'horreur où les gouvernantes surgissaient de nulle part.

— Mme Norwhich ? risqua-t-elle.

Les petits yeux se durcirent.

— Elle est à l'office.

La femme tourna les talons et, sans ajouter un mot, s'éloigna dans le couloir, le dos raide.

— Je comprends pourquoi Jacob nous a mis en garde contre la femme de ménage, lui souffla Bram à l'oreille.

— Elle se déplace comme un fantôme.

— Elle en a l'allure, aussi, ajouta-t-il. Un vrai squelette... Voulez-vous que je vous accompagne à l'étage ?

62

— C'est inutile. Je connais le chemin.

Il était si près d'elle… « Trop près », rectifia-t-elle aussitôt. Elle ne souhaitait pas renouveler l'expérience de la veille, quand le désir l'avait enflammée comme un feu de paille…

— Dans ce cas, je vais retourner travailler, annonça-t-il.

Sa voix douce et profonde s'insinua en elle, faisant courir un délicieux frisson dans tout son corps.

— Merci. Pour cette nuit…

Il baissa la tête, et elle sentit son cœur battre à tout rompre : il allait l'embrasser…

Quand, du bout du doigt, il lui souleva légèrement le menton, elle retint son souffle, prisonnière de son regard.

— Tout le plaisir était pour moi…, assura-t-il.

Il déposa un chaste baiser sur le bout de son nez et sortit sans se retourner.

Helen eut toutes les peines du monde à monter l'escalier. Les jambes molles, elle se sentait aussi exténuée que si elle venait de courir un marathon. Si un simple baiser sur le nez lui inspirait une telle réaction, que se passerait-il quand il l'embrasserait vraiment ?

Cette question l'accompagna jusque sous la douche. Bien que l'électricité fût rétablie, le cumulus d'eau chaude était quasiment vide. Aussi, loin de prendre une longue douche froide – qui eût sans doute été tout indiquée –, elle se lava rapidement, puis passa un short et un débardeur. Le jour était à peine levé, mais, déjà, la chaleur et l'humidité mettaient le climatiseur à rude épreuve.

Sa brosse en main, Helen entreprit de lisser ses longs cheveux clairs. La tâche, répétitive, l'incita à la rêverie — et ce fut tout naturellement que ses pensées se tournèrent de nouveau vers Bram. Il ne ressemblait à aucun des hommes qu'elle avait rencontrés jusqu'alors. Et, pour être franche, il la fascinait au-delà du raisonnable. Elle brûlait de savoir qui se cachait derrière le masque impassible qu'il offrait au monde. Sa carapace semblait aussi dure que les morceaux de métal qu'il transformait en œuvres d'art... Que découvrirait-elle, si elle parvenait à l'entamer ?

Sa toilette achevée, elle gagna la cuisine, où elle rencontra la fameuse Mme Norwhich. Un coup d'œil lui suffit pour constater que le portrait qu'en avait brossé Jacob était bien en deçà de la réalité : Odette Norwhich était une femme grande, dure et taciturne, qui s'exprimait d'un ton sec et hautain. Elle manqua s'étouffer quand Helen lui dit préférer un café et quelques toasts au copieux petit déjeuner qu'elle s'apprêtait à lui servir — œufs au bacon, porridge et lait chaud.

Manifestement vexée, elle ne lui adressa plus la parole. Et ce fut dans un silence glacial qu'Helen avala son repas sur un coin de table. Elle venait de terminer, et déposait sa tasse et son assiette dans le lave-vaisselle, quand Eden fit son entrée.

— Le courant est rétabli dans tout le village, déclara-t-elle sans préambule, mais nous devrions vraiment faire installer un groupe électrogène. Cette situation ne peut plus durer ! Ah, madame Norwhich. Paula est-elle arrivée ?

— Oui. Elle travaille à l'étage.

— Je veux que la chambre du milieu soit prête ce matin. Combien de temps as-tu prévu de rester, Helen ?

Cette dernière se composa une mine agréable, avant d'énoncer :

— Indéfiniment, Eden. Où est Marcus ?

L'expression déjà amère d'Eden se durcit encore. Elle pinça si fort les lèvres minces que celles-ci ne formèrent bientôt plus qu'un trait au bas de son visage.

— Dans le jardin, finit-elle par articuler. Mais ne sois pas surprise par ses propos.

— Que veux-tu dire?

64

— On a diagnostiqué chez lui un début de démence.

— Comment ?

Eden ne prit pas la peine de lui répondre : tournant les talons, elle quitta la pièce aussi brusquement qu'elle y était entrée.

En poussant un étrange grognement, Mme Norwhich mit le lave-vaisselle en marche, tandis qu'Helen allait chercher une bouteille d'eau dans le garde-manger. Comme son père, elle s'hydratait continuellement au cours de la journée — un de leurs seuls points communs, d'ailleurs.

— Il y a de l'eau fraîche au réfrigérateur, précisa Mme Norwhich d'un ton désapprobateur.

— Merci.

— Je ne vois pas ce qu'on reproche à l'eau du robinet, maugréa la gouvernante. Moi, je la trouve tout à fait buvable. Si elle est assez bonne pour faire la cuisine, elle est assez bonne à boire !

Ignorant ces commentaires, Helen saisit une bouteille fraîche dans le réfrigérateur, et sortit par la porte latérale qui donnait sur le parc.

C'était bien le genre d'Eden, de livrer une telle nouvelle et de disparaître sans autre forme d'explication ! Comment Marcus pouvait-il être atteint de démence, alors qu'il entrait tout juste dans la soixantaine ? Une foule de questions se pressaient à l'esprit de la jeune femme… mais Eden ne lui serait d'aucun secours, hélas. Sa belle-mère n'avait jamais répondu à ses interrogations, quelles qu'elles soient. Helen devrait traquer seule la vérité…

Vraiment, elle aurait mieux fait d'attendre le retour de Leigh pour se rendre à Blackrose : à elles deux, elles auraient triomphé des obstacles. Seule, elle n'arriverait peut-être à rien… Allons ! s'exhorta-t-elle. Pas de défaitisme. Certaines explications s'imposaient d'elles-mêmes : ainsi, la maladie de

Marcus était sans doute à l'origine de sa lubie sécuritaire. Pris d'une idée fixe, et totalement paranoïaque, il avait décidé de faire poser des barreaux aux fenêtres. Mais pourquoi personne n'avait tenté de l'en dissuader ?

Elle en était là de ses interrogations lorsqu'elle arriva près de l'entrée du troisième jardin. Sa mère et son grand-père avaient beaucoup travaillé pour créer trois labyrinthes différents, plantés de topiaires et de fleurs ornementales. Jadis, les haies arrivaient à peine à la taille des visiteurs, mais Marcus les avait laissées pousser, si bien qu'elles étaient maintenant à hauteur d'homme. Se déplacer dans ce dédale de verdure, où les motifs formés par les plantes sculptées avaient disparu faute d'entretien, se révéla plus compliqué qu'elle ne l'imaginait…

Alors qu'elle venait jadis se réfugier dans cet endroit, Helen n'y trouvait plus aujourd'hui aucun apaisement : si la mort de son grand-père lui avait fait beaucoup de peine, la disparition soudaine de sa mère lui avait infligé une souffrance dont elle n'était pas sûre de triompher un jour. Tant qu'elle ne saurait pas ce qui était vraiment arrivé à Amy Thomas, elle ne connaîtrait pas de répit.

Elle ne remarqua pas la flaque qui s'était formée dans l'allée avant de marcher dedans. Contrariée, elle secoua légèrement le pied. Manifestement, le système d'arrosage souterrain fonctionnait toujours ! Des gouttelettes d'eau parsemaient les pétales et les feuilles, et la terre était mouillée.

Cet incident lui rappela sa mère. Le système d'irrigation – le dernier cadeau qu'elle ait fait à son cher jardin – avait été installé le jour de sa disparition. Constater que son père négligeait cet endroit mettait Helen en rage. Seule la roseraie était entretenue ; le reste était laissé à l'abandon. Les parterres auraient eu besoin d'un bon désherbage, et le lierre menaçait d'envahir les arbustes environnants.

L'intérêt que Marcus témoignait aux roses que sa femme avait tant aimées aurait pu passer pour un hommage à sa mémoire, mais Helen n'y croyait pas. Bien au contraire : cet engouement, survenu juste après la disparition d'Amy Thomas, avait éveillé ses soupçons.

Aujourd'hui pourtant, sans doute parce qu'elle avait mûri, Helen percevait la situation sous un autre angle. Marcus avait peut-être toujours aimé la roseraie... mais il s'en était senti exclu du vivant de sa femme et de son beau-père.

Au fond, ses parents n'avaient rien en commun. Leurs divergences étaient si flagrantes que Leigh et Helen s'étaient souvent demandé ce qui les avait réunis... et ce qui les retenait ensemble. Chacun d'eux vivait sa vie sans se soucier de l'autre, ne partageant qu'un toit et quelques obligations sociales.

En fait, Helen supposait que c'était par fidélité à sa parole que sa mère était restée mariée. Même si elle avait eu des regrets, elle avait tenu à honorer jusqu'au bout le serment fait à son mari.

Mais Marcus, lui, qu'en avait-il pensé ? Mystère. Helen ne savait rien de l'auteur de ses jours. C'était Dennison Hart, leur grand-père, qui les avait élevées, elle et sa sœur jumelle. Marcus, qui n'avait jamais manifesté le moindre intérêt pour la fonction paternelle, n'avait joué qu'un rôle mineur dans leur existence.

Avait-il seulement *essayé* d'assumer ses fonctions paternelles ? Helen en doutait... mais la vérité était peut-être ailleurs. Il n'était pas impossible, par exemple, que Marcus se soit senti de trop à Blackrose, et...

Non. Helen repoussa vivement cette pensée gênante de son esprit. Son père n'avait jamais manifesté le moindre intérêt pour sa famille. Malgré tous ses efforts, elle ne parvenait pas à se l'imaginer dans le rôle d'un éternel incompris.

Dennison, lui, n'avait pas feint l'amour qu'il portait à ses petites-filles ! S'il était encore en vie aujourd'hui, il continuerait à se soucier d'elles — contrairement à Marcus, qui n'avait suivi ni l'évolution de leurs études ni celle de leur carrière. Charismatique, très chaleureux, Dennison leur avait toujours paru invulnérable... jusqu'au terrible matin où il ne s'était pas réveillé.

Un murmure tira Helen de ses pensées. Obliquant au bout d'une allée, elle se trouva dans une impasse. Désorientée, elle se dressa sur la pointe des pieds pour tenter de comprendre où elle se trouvait... et aperçut Marcus dans l'allée qui jouxtait la sienne. Agenouillé devant un massif de splendides roses rouges, il parlait tout seul.

— Tes roses se portent à merveille, Amy, rassure-toi. Pas la moindre tache..., dit-il en passant sa main gantée sur les feuilles.

Dissimulée derrière la haie qui les séparait, Helen déglutit péniblement. Jamais Marcus ne lui avait paru si vieux, si vulnérable... Se pouvait-il que Leigh et elle se soient trompées sur son compte ? Pleurait-il sa femme ? Ou la démence évoquée par Eden était-elle à un stade plus avancé qu'elle ne l'avait imaginé ?

Il était méconnaissable. Très amaigri, les cheveux plus sel que poivre, il avait perdu la prestance qui faisait de lui l'une des figures les plus respectées du village. Pour un peu, Helen l'aurait pris en pitié...

Bouleversée, elle rebroussa chemin. Pas question d'affronter son père maintenant... Elle ne s'en sentait plus la force. Tête baissée, elle emprunta quelques allées au hasard et déboucha devant une petite fontaine circulaire. Elle s'arrêta net, le souffle court. Amy avait fait installer cet ouvrage en même temps que le système d'arrosage.

Sept ans auparavant, Helen et Leigh, certaines que leur père avait tué leur mère, avaient convaincu le chef de la police locale de déplacer la fontaine pour chercher le corps. Les hommes avaient retourné la terre, sous le regard implacable de Marcus… sans succès. Une fois l'opération terminée, et les hommes rentrés bredouilles au commissariat, Marcus avait ordonné au paysagiste de remettre la fontaine en place. Depuis, il n'avait plus adressé la parole à ses filles.

— Un sou pour vos pensées, même les plus sombres, énonça une voix sur sa droite.

Helen tressaillit. Bram s'avançait vers elle.

— Quelque chose ne va pas ? reprit-il d'un air soucieux.

La question était inutile : déjà, elle se sentait mieux. Son irruption avait suffi à chasser ses pensées — pour les remplacer par d'autres, nettement plus futiles, celles-là. Les cheveux en bataille, les bras nus, Bram était plus sexy que jamais. Son T-shirt noir, trempé de sueur, lui collait à la peau, et la saleté maculait son jean qui moulait outrageusement ses cuisses. Helen sentit un désir inopportun l'envahir.

— Gardez votre argent, lui conseilla-t-elle. Que faites-vous ici ?

— Je m'apprêtais à poser une grille sur une fenêtre quand je vous ai vue approcher.

— Ah…

D'un geste qui trahissait sa nervosité, elle saisit sa bouteille d'eau et en but une gorgée.

— Il fait chaud, ce matin, commenta-t-il en fixant sa bouche.

Helen hocha la tête, incapable d'énoncer un mot.

— Vous m'en donnez un peu ? demanda-t-il soudain.

La jeune femme tenta de réfréner les battements de son cœur et de chasser les pensées inavouables qui l'envahissaient. Il avait soif, c'est tout. Rien de plus normal avec cette atmosphère chaude et humide, surtout pour quelqu'un qui passait son temps penché sur une forge...

— J'ai bu dans cette bouteille.

Il haussa les épaules.

— Aucune importance. J'ai trop soif pour me soucier des microbes.

Le ton de sa voix n'avait rien de sensuel et pourtant, elle sentit une vague de désir la submerger. Quand elle lui tendit sa bouteille, leurs doigts se frôlèrent, et elle frémit malgré elle.

— Merci.

Il posa ses lèvres sur le goulot et, sans se presser, prit une longue gorgée. Fascinée, Helen le regarda boire et s'essuyer la lèvre supérieure d'un revers de la main.

Soudain, ses yeux d'un noir de jais se plantèrent dans les siens.

— Vous ne devriez pas me regarder comme ça, dit-il doucement.

Le souffle court, elle demanda :

— Comment ?

— Vous savez bien ce que je veux dire. Je suis trop vieux pour ce genre de petit jeu, Helen.

Le reproche fit mouche. Elle ne l'avait pas volé ! Mais comment avait-il deviné ses pensées ?

— Qu'allez-vous vous imaginer ? répliqua-t-elle, cinglante.

— La même chose que vous, dit-il en lui rendant sa bouteille.

Ils en étaient là de leur échange quand une voix familière les interrompit.

— Que faites-vous ici ?

70

4.

La bouteille ouverte s'écrasa au sol, éclaboussant leurs pieds. Bram s'interposa entre Helen et son père. Le ton agressif de Marcus Thomas avait réveillé en lui l'instinct de protection qu'il avait déjà ressenti la veille au soir.

— Je ne vous paie pas pour flâner dans le jardin !

— C'est moi qui lui ai proposé de l'eau, précisa Helen en poussant Bram sur le côté. Il fait chaud dehors.

— Je le paie pour travailler, pas pour se reposer, répéta Marcus.

— Son travail est terminé. Je ne veux pas de barreaux aux fenêtres de Blackrose.

Bram se raidit, de nouveau prêt à s'interposer entre eux.

Sans ciller, Helen soutint le regard de son père. Leur hostilité était presque palpable, et ils semblaient avoir oublié sa présence.

— Ce que tu veux ne m'intéresse pas !

— Ce n'est pas nouveau, mais cela n'a plus d'importance aujourd'hui. Blackrose est à moi, pas à toi.

Comme Marcus, furieux, s'avançait vers sa fille, Bram lui barra le chemin. L'espace d'un instant, il crut qu'il allait le frapper mais, sans doute conscient qu'il ne ferait pas le poids face à un adversaire à la fois plus jeune et plus robuste

71

que lui, Marcus desserra les poings. Cela n'atténua en rien sa colère, et il darda sur sa fille un regard noir.

— Tu n'hériteras pas avant ton vingt-cinquième anniversaire ! aboya-t-il.

— C'est exact. Mais tu sais aussi que le décès de maman vient d'être officiellement prononcé. Le notaire de grand-père respectera ses volontés, qui me désignaient seule héritière du domaine à la mort de maman.

— C'est ce que nous verrons.

— C'est tout vu, répliqua-t-elle d'un ton ferme.

Marcus jeta à Bram un regard mauvais.

— Vous la draguerez pendant vos heures de loisir. Nous avons signé un contrat. Retournez travailler !

Ce n'est que lorsque Helen lui saisit le bras que Bram s'aperçut qu'il avait serré les poings, lui aussi. Comprenant enfin qu'il était allé trop loin, Marcus recula d'un pas puis, drapé dans sa dignité, il tourna les talons et s'éloigna sans ajouter un mot.

— Cet homme est votre père ? lâcha Bram en s'efforçant de reprendre son calme.

— C'est difficile à croire, n'est-ce pas ? répliqua Helen, toute tremblante. Désolée de vous avoir infligé cette scène. Marcus est mon père biologique, mais sa contribution s'arrête là.

En songeant au lien étroit qui l'unissait à son propre père, Bram fronça les sourcils.

— Quel dommage !

— Pas vraiment. Au cas où vous ne l'auriez pas remarqué, Marcus n'est pas très sympathique... S'il n'était pas mon père, je me serais gardée de le compter parmi mes relations, croyez-moi !

Bram lui lança un regard perplexe. Il n'appréciait pas Marcus, certes... mais l'hostilité que lui témoignait sa fille le chagrinait.

— Gardez votre pitié pour vous, reprit Helen. Ma sœur et moi n'avons pas manqué d'affection. Notre grand-père était un homme formidable, qui nous a prodigué tout l'amour dont nous avions besoin.

Ses yeux se voilèrent l'espace d'un instant, puis elle planta de nouveau son regard outremer sur Bram.

— Je suis désolée, mais je vais devoir interrompre votre contrat. Nous vous paierons ce que nous vous devons.

Il se raidit. La veille au soir, déjà, Helen avait laissé entendre qu'elle n'appréciait pas son travail — ou plutôt le travail que Marcus lui avait confié. En toute logique, elle prenait maintenant ses dispositions pour le renvoyer… mais la situation n'était pas aussi simple qu'elle semblait le croire.

— Je ne peux pas cesser de travailler, remarqua-t-il.

— Bien sûr que vous le pouvez.

— J'ai signé un contrat avec votre père, insista-t-il.

— Ce contrat n'est pas valable. Marcus n'a pas le droit de vous faire travailler. Je suis désolée, mais il faut s'arrêter là.

Bram étouffa un juron. Il était certain qu'Helen était bien propriétaire de Blackrose, mais il ne pouvait pas se permettre d'être congédié. Il avait besoin de ce travail.

— Vous ne pouvez pas me remercier, Helen. Ce n'est pas vous qui m'avez embauché.

— Je suis chez moi, ici !

Il soupira intérieurement. Leur discussion était sans issue.

— Ecoutez, je suis forgeron, pas avocat. Tout ce que je sais, c'est que j'ai été embauché pour effectuer un travail précis. J'ai investi beaucoup de temps et d'argent dans ce projet !

— Je vous répète que vous serez dédommagé pour ce que vous avez fait, mais Blackrose m'appartient. Marcus n'a pas le droit de le dégrader ainsi.

— *Dégrader ?* répéta Bram, offensé.

— Voulez-vous voir la lettre de l'avocat de ma mère ?

Bram secoua la tête.

— Malheureusement, cette lettre n'a pas le pouvoir de rompre le contrat que j'ai signé avec votre père.

— Que suggérez-vous, alors ?

Il haussa les épaules. A quoi bon se battre avec elle ? Il n'en avait aucune envie.

— Helen, commença-t-il.

— Si vous voulez une mise en demeure en bonne et due forme, je peux vous en envoyer une !

Elle se retourna d'un mouvement vif et se dirigea vers la maison. Bram étouffa un juron. Helen finirait certainement par gagner la bataille : il n'avait ni le temps ni l'argent pour s'engager dans un conflit juridique. Les honoraires réclamés par les médecins de son père augmentaient à mesure qu'évoluait son cancer… Si Helen ne le payait que pour le travail déjà effectué à Blackrose, il devrait travailler davantage pour gagner un maximum d'argent avant la fin de son contrat.

Ou parvenir à convaincre la jeune femme de le laisser finir.

Helen essuya des larmes de colère et de frustration. Pourquoi cet homme se montrait-il si borné ? Pour lui, ce n'était qu'une simple commande ! Ne comprenait-il pas ? S'il achevait de grillager toutes les issues de la maison, Marcus tiendrait sa victoire : il aurait enfin réussi à bafouer la mémoire d'Amy et de Dennison…

Elle n'avait qu'une envie : s'asseoir et pleurer. Elle qui ne pleurait jamais…

Et si Bram avait raison ? Après tout, comment pouvait-elle être certaine que le notaire la soutiendrait ? Hormis le fait qu'elle était l'héritière légale de la maison et des terres, elle ignorait la nature de ses droits sur la propriété.

Elle essuya d'un geste rageur la larme qui roulait sur sa joue. Que lui arrivait-il ? Depuis qu'elle était arrivée à Blackrose, elle avait perdu le contrôle de ses émotions. Etait-elle épuisée, tout simplement. ? Ou couvait-elle une maladie ? Elle espérait que non : elle aurait besoin de toutes ses forces pour affronter Marcus et Eden – sans parler de Bram, qui avait le don de la faire sortir de ses gonds.

Le mieux, à l'avenir, serait d'ignorer l'attirance qu'il exerçait sur elle, au lieu de l'encourager, comme elle l'avait fait depuis leur rencontre. Dormir avec lui avait été une terrible erreur… mais qui ne se reproduirait pas. Quant au stress qui l'accablait, elle s'en débarrasserait après une bonne nuit de repos.

Rassérénée, elle gagna la cuisine, et fut soulagée de la trouver vide. L'air conditionné diffusait une douce fraîcheur, infiniment appréciable après la fournaise qui régnait au-dehors. Helen se dirigea droit vers le réfrigérateur, y saisit une bouteille d'eau fraîche et la vida d'un trait.

La maison était plongée dans un profond silence. Elle ignorait où se trouvaient Mme Norwhich ou Paula Kerstairs, et elle s'en moquait, mais elle aurait bien aimé voir Mme Walsh. A elle, au moins, elle aurait pu parler ! Elle avait un besoin impérieux de se confier à quelqu'un. Le calme qui régnait dans la maison lui semblait étrange, presque menaçant.

L'eau avait étanché sa soif, mais une lassitude croissante la gagnait. Elle devait quasiment lutter pour garder les yeux ouverts… Pourtant, elle venait de se lever ! Elle n'avait pas beaucoup dormi la nuit dernière, certes. Mais cela suffisait-il à expliquer un tel coup de fatigue ?

Inutile de lutter davantage, décida-t-elle en prenant une autre bouteille d'eau. Le mieux était d'aller s'allonger, même pour quelques minutes. Ensuite, elle appellerait le notaire de

Dennison et lui demanderait conseil. Peut-être avait-il cherché à la contacter pour l'informer que Marcus, qu'il savait malade, avait passé à Bram une commande importante ?

Elle faillit trébucher en montant l'escalier de service, dont les marches étroites menaient à un palier proche de la chambre de Marcus. D'ordinaire, elle évitait de passer devant ses appartements, mais ce matin, elle n'avait pas le courage de faire le détour nécessaire pour rejoindre l'escalier principal. Et tant pis si elle croisait son père ! Bien que vieilli, celui-ci n'avait rien perdu de sa hargne. Nul doute qu'il la mettrait à profit s'il la croisait sur le palier... Mais non, constata-t-elle avec soulagement. La porte de sa chambre était fermée. Elle longea le couloir et gagna sa propre chambre.

Là, elle se laissa tomber sur le canapé et ferma aussitôt les yeux. Elle tendit la main pour poser sa bouteille d'eau sur la table de nuit, mais manqua son but : la bouteille tomba au sol avec un bruit sourd. Mais Helen l'entendit à peine ; elle dormait déjà.

Ce fut la voix de sa mère qui la réveilla. Helen laissa échapper un gémissement. Elle était encore si fatiguée...

Mais la voix persista jusqu'à ce que la jeune femme entrouvre un œil, et que son regard soit attiré vers le pied de son lit. Son cerveau embrumé lui renvoya l'image déformée d'une silhouette qui se reflétait dans le cadre accroché au mur. La silhouette était penchée vers son sac de voyage, posé par terre à côté du lit.

Helen voulut tourner la tête et parler, mais elle était trop fatiguée. Ses yeux se refermèrent, et elle n'émit qu'un faible gémissement. Soudain, quelque chose s'abattit sur son visage.

Se réveillant d'un coup, elle tira d'un geste sec sur le morceau de tissu et bondit hors du lit, pour tenter de comprendre ce qui se passait.

Tout devint flou autour d'elle tandis qu'elle était prise de nausée. Elle entendit plutôt qu'elle ne vit claquer la porte de sa chambre.

Quelqu'un était entré dans sa chambre !

Helen se leva brusquement, un peu vacillante, et découvrit le contenu de son sac éparpillé au sol. Le grand T-shirt qu'elle aimait porter pour dormir était roulé en boule sur le lit… Quelqu'un le lui avait jeté sur le visage quand elle avait commencé à se réveiller. L'intrus avait passé un moment dans sa chambre, à fouiller dans ses affaires ! Que se serait-il passé si elle n'avait pas rêvé que sa mère l'appelait… ?

Contournant le lit, elle fonça vers la porte et l'ouvrit : le couloir était vide, ce qui n'avait rien d'étonnant. Son visiteur avait eu largement le temps de prendre la fuite pendant qu'elle tentait de recouvrer ses esprits !

Qui cela pouvait-il bien être ? Que cherchait-il – ou elle ? Soudain, la peur prit le pas sur l'hébétude. Soit elle n'avait pas rêvé, la veille au soir, et c'était l'intrus qui se cachait dans la maison qui était venu fouiller dans ses affaires, soit il s'agissait d'un des occupants de Blackrose.

Dans tous les cas, si cette personne cherchait des objets de valeur, elle en était pour ses frais : Helen n'avait apporté que quelques vêtements et sa trousse à maquillage.

Elle s'appuya au chambranle de la porte pour réfléchir. Marcus ferait un scandale si elle appelait la police, mais elle ne pouvait passer cet incident sous silence. Hélas, la dernière fois qu'elle lui avait parlé, l'inspecteur Crossley l'avait expressément priée de ne plus l'appeler. Et même s'il dépêchait un policier pour enquêter, l'homme ne se montrerait sans doute pas très zélé : aucun membre de la brigade locale n'ignorait le conflit qui l'opposait à leur supérieur.

Helen tenta de se remémorer l'image qu'elle avait aperçue de l'intrus... en pure perte, hélas. Elle ignorait même s'il s'agissait d'un homme ou d'une femme ! Elle retourna dans la chambre et, comme elle observait de nouveau ses vêtements éparpillés, son regard tomba sur le réveil. Elle eut un sursaut : presque 4 heures de l'après-midi ! Si l'heure était exacte, elle avait dormi quasiment toute la journée. Pas étonnant qu'elle se sente un peu groggy...

Son malaise s'accrut encore lorsqu'elle aperçut le T-shirt sur le dessus-de-lit froissé. Elle avait besoin de parler à quelqu'un de ce qui venait de se produire, mais elle ne pouvait se résoudre à appeler la police. Mieux valait contacter le notaire. Après tout, c'était sur sa requête qu'elle était venue à Blackrose.

Mais comment s'appelait-il ? Elle fouilla sa mémoire, sans succès. Une douleur sourde lui martelait les tempes, à présent. D'ordinaire, elle n'était pas sujette aux migraines, mais il semblait qu'elle se préparait à en subir une... Où avait-elle mis la lettre du notaire ? Ah oui : dans son sac à main.

Mais où était son sac à main ?

Elle parcourut la pièce du regard. Son petit sac en croco vert avait disparu. Le voleur l'avait emporté !

Helen se précipita dans le couloir. La maison baignait toujours dans un silence inquiétant. Où étaient passés les autres occupants du domaine ?

Comme elle s'approchait de l'escalier principal, elle perçut des bruits étouffés de conversation. Intriguée, elle s'accouda à la balustrade et tendit l'oreille. Quelques instants lui suffirent pour reconnaître la voix de sa belle-mère. Cette dernière se tenait près de la porte d'entrée, et paraissait sermonner quelqu'un. Mais qui ? Une voix légèrement rauque, très masculine, se fit entendre. Bram !

— Descendez ou laissez-moi passer !

Helen sursauta. Paula Kerstairs, qui venait de surgir dans son dos, la fixait d'un air franchement hostile.

— D'où venez-vous ? s'enquit Helen, mal à l'aise.

Paula désigna de la tête la chambre proche du palier, qu'avait occupée la mère d'Helen autrefois, quand elle et Marcus avaient fait chambre à part. La porte était ouverte.

— Je faisais le ménage, dit-elle d'un ton brusque. Je suis payée pour ça.

Peut-être la peur déformait-elle son jugement, mais Helen eut l'impression que cette femme la détestait.

— Etes-vous allée dans ma chambre, à l'instant ? demanda-t-elle.

— Non, répondit Paula d'un ton méprisant. Si elle est en désordre, vous attendrez. J'ai terminé pour aujourd'hui.

Avec son seau et sa blouse ample, elle ressemblait à ces femmes de ménage qu'on ne voit que dans les films publicitaires… Mais dans une blouse pareille, il était facile de dissimuler de petits objets, songea Helen dans un éclair. Un petit sac en croco, par exemple ?

D'un mouvement vif, Paula s'avança vers Helen, qui lui bloqua le passage.

— Laissez-moi jeter un coup d'œil dans votre seau.

Elle inspecta le seau que Paula lui tendait : il ne contenait rien d'autre que des produits ménagers et une serpillière.

— Vous croyez que je vole l'argenterie ?

Helen ignora la question. Pas question de se laisser intimider par cette mégère.

— Avez-vous croisé quelqu'un, à l'étage ?

— Personne, à part vous.

Sur ce, elle la bouscula si rudement qu'Helen faillit tomber, puis elle descendit l'escalier sans se retourner.

Stupéfaite, la jeune femme ouvrit la bouche pour crier à Bram d'arrêter la femme de ménage... mais il avait disparu, ainsi qu'Eden. Avaient-il assisté à la scène qui venait de l'opposer à Paula ?

Non. Il ne serait pas parti s'il avait relevé sa présence. Mais où était-il allé ? Et quel était le motif de son altercation avec Eden ? Pensive, Helen s'engagea dans l'escalier. Elle parvenait au rez-de-chaussée quand son regard fut attiré par un mouvement dans la bibliothèque. Elle s'approcha et vit distinctement une silhouette disparaître derrière la porte. Mme Norwhich, à coup sûr. Mais pourquoi la gouvernante l'épiait-elle ?

Son cœur battait si fort qu'elle ne parvenait plus à réfléchir. S'agrippant à la rampe, elle s'efforça de rassembler ses esprits. Surtout, ne pas sombrer dans la paranoïa ! se répéta-t-elle en prenant une profonde inspiration.

Le mieux était encore de monter dans sa voiture et de se rendre en ville, chez le notaire. Comment s'appelait-il ? Pourquoi ne parvenait-elle pas à se rappeler son nom ?

Peu importe. Les notaires ne devaient pas être très nombreux à Stony Ridge. Elle finirait bien par le trouver !

Restait un problème — de taille, celui-là : les clés de sa voiture se trouvaient dans son sac...

— Bonjour, Helen !

Jacob sortait de la cuisine, une pomme à la main. Il semblait si détendu qu'elle se demanda si elle n'avait pas rêvé ce qui venait de se produire.

— Tu as bien dormi ? demanda-t-il.

— Non. Euh... oui.

Désorientée, elle hocha la tête.

— Quelque chose ne va pas ?

Elle le rejoignit d'un pas incertain.

— Quelqu'un est entré dans ma chambre pendant que je dormais, et m'a volé mon sac.

Jacob cessa de mâcher sa pomme.

— Ah bon ? Je viens de voir ton sac dans la bibliothèque. Il est posé par terre, à côté du canapé. Tu as dû l'oublier hier soir.

Sans attendre, Helen se précipita vers la bibliothèque. Jacob n'avait pas menti : son sac se trouvait exactement là où il l'avait dit, bien en vue. Pourtant, elle était sûre de l'avoir monté le matin même.

A moins que... En était-elle vraiment certaine ? Bon sang ! Elle n'en savait plus rien, à présent.

D'une main tremblante, elle attrapa son sac.

— Helen, ça va ?

— Non. Je t'ai dit que quelqu'un était entré dans ma chambre, énonça-t-elle en tentant de surmonter la panique qui s'emparait d'elle.

— On a fouillé dans ton sac de voyage ? s'enquit Jacob, incrédule.

Elle ouvrit son sac à main.

— Je... je ne suis pas sûre. Je n'ai vu qu'un reflet. La personne m'a jeté un T-shirt sur le visage avant que je puisse me retourner pour la voir.

Jacob plissa le front.

— Un T-shirt ? Es-tu vraiment sûre que tu n'as pas rêvé ? Tu étais très inquiète hier soir. Je comprends, mais...

— Elle n'est plus là !

— De quoi parles-tu ?

— De la lettre du notaire. Mes clés, mes cartes de crédit, mon porte-monnaie, mes papiers, tout est là, sauf la lettre !

— Attends un peu... Tout à l'heure, tu croyais qu'on t'avait volé ton sac. Peut-être que la lettre est tombée...

Jacob s'accroupit et commença à chercher autour du canapé.

— Non, il n'y a rien ici. Dans ta voiture, peut-être ?

— Où est Mme Norwhich ? Elle était là il y a une minute. Je l'ai vue ! C'est elle qui a pris la lettre.

Jacob la dévisagea d'un air soucieux.

— Calme-toi. Mme Norwhich est dans la cuisine. Je viens juste de lui parler.

— Je sais ce que j'ai vu !

— Moi, je vois surtout que tu n'as pas l'air dans ton assiette.

Il avait raison. Le souffle court, elle serrait son sac contre sa poitrine comme si sa vie en dépendait... Mais les faits étaient là : elle était sûre d'avoir vu Mme Norwhich quelques instants plus tôt ! La gouvernante était-elle entrée dans la bibliothèque pour lui dérober la lettre du notaire ? Difficile à prouver. Si son sac était resté là depuis la veille, n'importe qui avait pu examiner son contenu. Paula Kerstairs aussi, d'ailleurs.

— On m'a jeté un T-shirt sur le visage, j'en suis certaine, répéta-t-elle d'un ton plus calme. Quelqu'un a éparpillé mes affaires par terre, dans ma chambre.

Visiblement perplexe, Jacob se gratta la tête.

— Paula Kerstairs était à l'étage, reprit Helen.

— Cette sorcière ! Je m'en méfie comme de la peste. Tu crois qu'elle est allée dans ta chambre ? Il manque quelque chose ? De l'argenterie, de l'argent ?

— Je ne sais pas.

— Viens, allons vérifier. Si le moindre objet a disparu, nous appellerons la police.

En pleine confusion, Helen suivit Jacob dans les escaliers, le poing serré sur l'anse de son sac à main.

— Et ton travail, ça va ? demanda ce dernier.

— Ce n'est pas mon travail qui me stresse, rétorqua-t-elle d'un ton sec.

Il leva les mains en signe d'apaisement.

— Je ne prétends rien de tel. Je te pose une question, c'est tout ! Tu es tendue comme une corde à violon, aujourd'hui…

Il n'avait pas tort. Elle se sentait au bord de la crise de nerfs… Parvenue en haut des marches, elle fixa la porte de la chambre que Paula disait avoir nettoyée.

— Attends un instant, Jacob.

Il la suivit tandis qu'elle entrait dans ce qui était désormais une chambre d'amis. Les meubles de merisier brillaient, et il n'y avait pas un grain de poussière dans la pièce, propre et nette tout comme la salle de bains attenante.

— Paula m'a affirmé qu'elle avait fait le ménage ici, dit Helen.

— Ça en a l'air, en effet. Veux-tu que je vérifie le dessus des portes ?

Embarrassée, Helen détourna les yeux.

— Je ne comprends pas ce qui se passe.

Jacob secoua la tête d'un air navré.

— Moi non plus.

Ils se dirigèrent vers la chambre d'Helen. Qui fronça les sourcils, troublée.

— La porte de ma chambre est fermée ! s'écria-t-elle.

Jacob lui lança un regard perplexe.

— Et alors, ça ne te convient pas ?

— Je l'ai laissée ouverte, j'en suis sûre. Il y a quelqu'un à l'intérieur.

Passant devant elle, Jacob ouvrit la porte avant qu'elle ne puisse l'en empêcher. Elle le suivit… et se figea sur le seuil. Son sac de voyage était près du lit, soigneusement fermé. La pièce était en ordre, elle aussi. Seuls l'oreiller et le dessus-de-lit froissés indiquaient qu'elle y avait passé l'après-midi.

— Quelqu'un est venu pour tout remettre en place ! s'exclama-t-elle, la gorge nouée. C'est à n'y rien comprendre...

Jacob examina la pièce d'un air suspicieux.

— Es-tu sûre que tu n'as pas rêvé ?

— Evidemment !

Mais en était-elle si sûre, justement ? Sa tête lui faisait si mal qu'elle peinait à réfléchir.

— Ecoute, marmonna Jacob d'un ton embarrassé. Je ne veux pas te vexer, mais il faut que je te pose une question : tu prends des trucs, en ce moment ? Peut-être qu'on t'a vendu de la mauvaise marchandise. Depuis combien de temps... ?

— Je ne me suis jamais droguée de ma vie, interrompit-elle, furieuse, dès qu'elle comprit ce qu'il insinuait.

Puis, le bousculant sans ménagement, elle s'élança vers l'escalier.

— Attends ! cria Jacob, alarmé. Où vas-tu ?

— Voir si ma voiture est toujours là, répondit-elle sans se retourner.

Ainsi, Jacob pensait qu'elle se droguait ! Elle ne pouvait guère lui en vouloir, après tout : elle agissait de façon si étrange, depuis la veille... Pourtant elle avait tous ses esprits. Et elle n'avait pas rêvé – sauf lorsqu'elle avait cru que sa mère l'appelait.

Oui, elle rêvait, alors... mais elle s'était réveillée en sursaut dès l'instant où elle avait senti le T-shirt sur son visage.

Jacob continua de l'appeler tandis qu'elle dévalait l'escalier, mais elle l'ignora et sortit de la maison en courant. Une bonne surprise l'y attendait : contrairement à ce qu'elle craignait, sa voiture n'avait pas bougé.

Elle s'appuya en chancelant contre le capot. Il faisait une chaleur écrasante... Pourtant, elle tremblait de tous ses membres. Pour s'être évanouie une ou deux fois dans sa vie, elle en connaissait les symptômes. Et ceux qui l'assaillaient en cet instant lui semblaient dangereusement annonciateurs d'un malaise… Elle ferait mieux de rentrer à l'intérieur pour s'allonger… Mais avant cela, elle devait retrouver la lettre du notaire, se rappela-t-elle faiblement. Elle n'en avait pas vraiment besoin, certes. Mais ce document lui fournirait ce qui lui manquait si cruellement depuis ce matin : un objet concret, tangible, auquel se raccrocher. Rassemblant ce qui lui restait d'énergie, elle entreprit de fouiller sa voiture.

La lettre n'y était pas.

Sortant péniblement du véhicule, elle ferma les yeux. Avait-elle mis l'enveloppe dans son sac, hier, avant de quitter son appartement ? Oui. Elle avait même relu le contenu de la lettre pendant le trajet… Mais alors, pourquoi ne parvenait-elle pas à se remémorer le nom du notaire? Que lui arrivait-il ? Pourquoi se sentait-elle si bizarre ?

— Vous avez perdu quelque chose ?

Elle ouvrit brusquement les yeux. Bram approchait, un sourire engageant aux lèvres. Vêtu d'un pantalon ajusté et d'une chemisette ouverte, il était plus sexy que jamais.

— Oui, ma tête, répondit-elle sans plaisanter.

Il haussa les sourcils.

— Cela vous arrive souvent ?

Bien qu'elle fût au bord des larmes, elle le remercia intérieurement : il avait trouvé le ton juste pour la rassurer. Prenant une profonde inspiration, elle acquiesça de la tête.

— Je crains que oui.

— Expliquez-moi ça…

Elle hésita. A quoi bon lui raconter ses mésaventures ? Jacob, qui la connaissait bien, ne l'avait pas crue. S'il la soupçonnait à son tour d'avoir ingéré des substances hallucinogènes — ou pire : s'il la prenait pour une illuminée, elle ne le supporterait pas.

— Avez-vous mangé ? s'enquit-il tout à trac.

Elle leva les yeux, interdite.

— Comment ?

— Je m'apprêtais à aller dîner. Il est un peu tôt mais vous pouvez m'accompagner, si ça vous tente. J'ai remarqué qu'on voyait les choses différemment après un bon repas.

Les deux toasts qu'Helen avait pris au petit déjeuner étaient déjà loin, et la seule évocation de nourriture suffit à faire gargouiller son estomac. Elle sourit malgré elle. N'était-il pas incongru de penser à son dîner alors que tout semblait s'écrouler autour d'elle ?

Et alors ? Bram lui offrait une chance de fuir cette maison de fous, et de prendre le recul nécessaire pour réfléchir.

— D'accord. Mais je dois aller me changer.

Bram la regarda de la tête aux pieds.

— Je vous trouve très bien comme ça.

Son cœur s'emballa, et elle s'empressa de se convaincre qu'il avait prononcé ces mots sans arrière-pensée.

— Cela ne me prendra qu'une minute.

— Aucune femme au monde n'est capable de se changer en une minute.

Elle esquissa une moue ironique.

— Vous parlez d'expérience ?

— Pas besoin d'expérience. Tous les hommes savent ça !

— Vraiment ? Alors, je suis prête à relever le défi !

Il se redressa. Sa seule présence suffisait à la calmer, constata-t-elle avec étonnement.

— Qu'à cela ne tienne ! acquiesça-t-il avec le plus grand sérieux. Mais je vous accompagne : j'ai oublié mon mètre enrouleur près de la porte principale. La chaleur ne me réussit pas… Je ne laisse jamais traîner mes outils, d'habitude.

Comme ils approchaient de la maison, Helen aperçut Mme Norwhich par la fenêtre de la cuisine. Elle était seule, apparemment.

— Je supporte mal la chaleur, moi aussi. J'ai fait une longue sieste cet après-midi. Mais pendant que je dormais, quelqu'un s'est introduit dans ma chambre pour fouiller dans mon sac de voyage, déclara-t-elle soudain.

Bram s'arrêta net.

— Qui était-ce ?

— Je l'ignore. Je n'ai vu que son reflet. Il m'a jeté un T-shirt sur la tête avant de prendre la fuite.

— Vous a-t-on volé quelque chose ?

— Je ne crois pas. J'ai cru qu'on m'avait pris mon sac à main, mais Jacob m'a permis de le retrouver dans la bibliothèque.

En voyant Bram froncer les sourcils, elle regretta d'avoir entamé son récit. Mais elle ne pouvait plus s'interrompre, à présent : autant tout lui raconter, non ?

— Je suis allée chercher mon sac, poursuivit-elle. Puis Jacob m'a accompagnée à l'étage. Je voulais lui montrer le désordre qu'y avait laissé l'intrus… Mais quand nous sommes arrivés, tout avait été remis à sa place ! Jacob pense que j'ai rêvé cette histoire d'intrus, mais je suis sûre du contraire.

Bram demeura impassible. La croyait-il ?

— Que veniez-vous chercher dans votre voiture ? interrogea-t-il.

— La lettre du notaire de mon grand-père. J'étais certaine de l'avoir laissée dans mon sac à main, mais elle n'y est plus.

— Est-ce un document important ?

— Euh… non, pas vraiment, en fait. Du moins, je ne vois pas qui cela pourrait intéresser. Le problème c'est que je suis censée appeler ce notaire, et que je ne me souviens plus de son nom.

— Il est 17 heures passées, remarqua Bram. Les bureaux sont sans doute déjà fermés…

Elle hocha la tête, et il se remit en marche.

— Vous avez raison. Son étude se trouve à Stony Ridge. Je suppose que je n'aurai aucun mal à le retrouver. Il ne doit pas y avoir foule de notaires dans une petite ville comme celle-là !

— Je ne crois pas, en effet.

Comme ils arrivaient près de la maison, Jacob s'avança à leur rencontre.

— Tu as trouvé ce que tu cherchais, Helen ? demanda-t-il.

— Non. Je dois l'avoir laissée à Boston, répondit-elle simplement.

Puis, pour couper court à la conversation, elle se tourna vers Bram.

— Entrez. Je ne serai pas longue.

Jacob la considéra avec étonnement.

— Vous allez quelque part ?

— Bram m'a invitée à dîner.

— Quelle bonne idée ! approuva Jacob. Je peux vous accompagner ?

— Une autre fois, rétorqua Bram, en tendant la main vers la poignée de la porte pour laisser passer Helen.

— C'était un peu… cavalier, remarqua-t-elle dès qu'ils furent dans le vestibule.

— Peut-être. Mais on m'a appris qu'il était impoli de s'imposer.

Il s'était exprimé d'un ton si catégorique qu'elle jugea inutile de discuter. Et de toute façon, elle préférait dîner seule avec lui.

— Cela vous dérange de venir avec moi à l'étage ? demanda-t-elle d'un ton qu'elle espérait neutre. Si une mauvaise surprise m'attend là-haut, je préfère la partager avec vous.

C'était en partie vrai, qu'il la croie ou non.

Bram se contenta de hocher la tête, et s'engagea derrière elle dans l'escalier. Une fois dans sa chambre, il examina calmement les lieux, promenant son regard sombre sur les meubles et les posters, avant de reporter son attention sur elle.

— Vous êtes sûre qu'il ne vous manque rien, à part la lettre du notaire ?

— Il faut que je vérifie...

Elle ouvrit son sac de voyage. Le T-shirt était sur le dessus, soigneusement plié.

— Je ne plie jamais mes vêtements comme ça, marmonna-t-elle, l'estomac noué.

Un pli d'inquiétude barra le front de Bram.

Helen repoussa le T-shirt d'un geste brusque. Elle aurait du mal à le porter, désormais.

— Je ferais mieux d'aller me changer, décida-t-elle en se redressant. Si nous arrivons trop tard, il faudra patienter pour avoir une table.

Elle saisit un débardeur vert sur un cintre, attrapa une paire de sandales et s'enferma dans la salle de bains. Une fois devant son miroir, elle se demanda pourquoi Bram l'avait invitée. Elle était encore plus mal coiffée qu'elle le craignait ! Ses yeux étaient cernés, elle ne portait pas une once de maquillage et ses vêtements étaient tout fripés. Difficile d'être moins séduisante !

Renonçant à la douche dont elle avait pourtant cruellement envie, elle s'habilla à la hâte. Arrivait-il souvent à Bram d'attendre une femme — la sienne, par exemple ? S'il était marié, cela expliquerait la lutte qu'il semblait livrer contre lui-même pour nier leur attirance mutuelle. A moins qu'il ne soit divorcé ? s'interrogea-t-elle en passant quelques coups de brosse dans ses cheveux dénoués.

Après avoir appliqué une légère touche de maquillage sur son visage nu, elle sortit de la salle de bains. Bram se leva aussitôt.

— Vous êtes prête ?

Si elle ne l'avait pas observé avec attention, elle aurait sans doute manqué le coup d'œil approbateur, typiquement masculin, qu'il lui décocha lorsqu'elle pivota pour enfiler ses sandales.

— Je suis prête, confirma-t-elle un instant plus tard.

Il se dirigea vers la porte.

— Impressionnant…

Le cœur d'Helen s'accéléra.

— Sept minutes chrono, ajouta-t-il en consultant sa montre.

— La prochaine fois, je me passerai de maquillage.

Il sourit, et elle sentit une délicieuse chaleur l'envahir. Même s'il se refusait le désir qui les poussait l'un vers l'autre, Bram l'éprouvait avec une force égale à la sienne. Sa lutte intérieure n'y changerait rien…

Sûre de son charme, elle le suivit d'un pas léger. Le temps d'un dîner, une femme avisée pouvait en apprendre beaucoup sur l'homme qu'elle convoitait.

5.

Bram avait oublié à quel point l'auberge de Stony Ridge était un lieu romantique. Lambrissée du sol au plafond, la salle du restaurant évoquait les grandes maisons d'autrefois, où il faisait bon oublier les soucis de la journée auprès d'un robuste feu de cheminée... Les serveurs évoluaient discrètement entre les convives, qui savouraient leur repas avec un plaisir évident, à la lueur des chandeliers de cuivre patinés par les ans. Véritable institution locale, l'auberge accueillait l'élite du comté avec une courtoisie dénuée d'affectation qui faisait tout son charme.

Les prix étaient calculés en conséquence, bien sûr, mais Bram n'avait aucun regret. S'il menait une existence frugale, il aimait aussi s'accorder quelques plaisirs... Et la soirée à venir lui en promettait plus d'un, estima-t-il en contemplant Helen à la dérobée. Un sourire radieux aux lèvres, cette dernière devisait gaiement avec les dirigeants de l'auberge, manifestement ravis de la revoir. Quelques minutes plus tôt, elle l'avait présenté comme « un artiste rare », compliment qui l'aurait embarrassé s'il n'en avait perçu la profonde sincérité. Helen appréciait son travail, et elle n'hésitait pas à le faire savoir — avec l'espoir de le voir décrocher un contrat lorsqu'elle aurait mis fin au sien.

Il retint un sourire à cette pensée. La jeune femme regrettait de devoir le renvoyer, c'était évident. Mais il n'avait pas encore dit son dernier mot : il avait l'intention d'avoir une sérieuse discussion avec elle… dès que le flot des connaissances qui affluaient à leur table se serait tari. Car pour l'heure, *tous* les clients du restaurant semblaient vouloir échanger un mot avec Helen. A moins qu'ils ne souhaitent observer de plus près son mystérieux compagnon, rectifia-t-il avec ironie en interceptant quelques regards curieux.

Oui, les amis d'Helen s'interrogeaient sur leur compte — mais elle s'en souciait comme d'une guigne. Ainsi, lorsqu'une charmante vieille dame se risqua à lui demander si Bram et elle étaient fiancés, ce fut d'un ton résolument neutre qu'elle assura n'être « que son amie ».

Bram sentit ses nerfs se tendre. La remarque n'avait rien d'insultant, mais elle impliquait une tiédeur de sentiments qu'il était loin d'éprouver à son égard. Il dissimula son irritation sous un silence poli, se contentant de sourire au couple suivant. Mais lorsqu'un jeune dandy de province s'avisa d'approcher sa compagne, l'enveloppant d'un regard ouvertement lascif, son sang ne fit qu'un tour.

Les cheveux savamment décoiffés, l'œil bleu outremer, le dénommé Sean — Helen avait fait les présentations — avait tout d'un séducteur. Avait-il compté la jeune femme parmi ses conquêtes ? Son attitude semblait l'impliquer : il la couvait d'un air de propriétaire et s'apprêtait à passer un bras autour de ses épaules… Helen s'écarta d'un mouvement vif.

— Eh bien, on n'est plus amis, toi et moi ? s'offusqua-t-il. Tu réserves tes faveurs à d'autres, c'est ça ?

C'en était trop. Irritée, Helen ouvrit la bouche pour répondre… mais Bram la devança.

— Ecoute, mon vieux, Helen n'a manifestement pas envie de te supporter. Soit tu lui fiches la paix, soit je me charge de t'apprendre les bonnes manières.

Sean écarquilla les yeux.

— Eh… Pas la peine de vous énerver : j'étais sur le départ, de toute façon. Et puis, Helen et moi, c'est de l'histoire ancienne. Pas vrai, ma douce ?

La « douce » en question leva les yeux au ciel.

— Bon sang, Sean… Fiche-nous la paix, marmonna-t-elle entre ses dents.

— C'est compris ? renchérit Bram d'un ton menaçant.

L'importun ne se le fit pas dire deux fois : il regagna sa table sans demander son reste.

Bram se renversa contre le dossier de sa chaise avec satisfaction.

— Enfin débarrassés de ce raseur !

— Je n'avais pas besoin de vous pour le faire, répliqua Helen d'un ton rageur. Un peu plus, et je vous mettais *tous les deux* dehors !

— Vraiment ?

— Vraiment, assura-t-elle. Je déteste les machos et les esclandres. Or, vous étiez sur le point de vous donner en spectacle, non ?

— Je l'aurais fait si cela avait été nécessaire… Quant au spectacle, c'est vous qui l'offrez à nos voisins, ajouta-t-il avec un sourire en coin. Si vous ne baissez pas la voix, la salle entière connaîtra les raisons de votre courroux.

— Vous êtes impossible…

— Vous me l'avez déjà dit. Aïe !

Elle venait de lui donner un méchant coup de pied sous la table.

— Désolée. C'était votre jambe ? s'enquit-elle, une lueur espiègle dans le regard.

Bram eut peine à garder son sérieux.

— Oui. Mais c'est entièrement ma faute : j'ai fait un faux mouvement.

— Ah oui ? Vous n'avez pas mal, au moins ?

— Je souffre le martyre.

— Parfait. C'était mon intention. Et ne vous plaignez pas : je ne porte pas de talons hauts, ce soir…

Elle cherchait à le provoquer, bien sûr. A le séduire, aussi. Et Bram avait de plus en plus de peine à feindre l'indifférence. Il brûlait d'effleurer sa joue veloutée, de perdre ses doigts dans la soie de ses cheveux… Il n'en ferait rien, bien sûr. Cette femme était le danger même, il l'avait su dès le premier instant. Elle dégageait une vitalité qui la rendait unique… et terriblement envoûtante. Tantôt espiègle et enjôleuse, tantôt douce et posée, elle ne se départait jamais de l'étonnante force intérieure qui la caractérisait.

Il la regarda coincer une mèche rebelle derrière son oreille — un geste machinal, qu'elle répétait du matin au soir avec la même grâce inconsciente.

— Vous seriez bien ennuyée si vous perdiez cette oreille, remarqua-t-il malicieusement.

Elle lui lança un regard interloqué. Puis un sourire lent étira ses lèvres.

— Pas du tout. Je me ferais couper les cheveux, et le problème serait réglé.

— Dans ce cas, j'espère que vous garderez vos oreilles jusqu'à la fin de vos jours. Ce serait un crime de couper de si beaux cheveux…

Elle s'empourpra, signe qu'elle appréciait le compliment.

— Etes-vous marié ? reprit-elle à brûle-pourpoint.

— Non.

Elle haussa un sourcil.

— Le bonheur conjugal ne vous tente pas ?

94

— Je n'y crois pas, répliqua-t-il sobrement.

— Ah… Le genre désabusé. J'aurais dû…

Elle laissa sa phrase en suspens pour accueillir le couple de personnes âgées qui s'approchait de leur table, un sourire enchanté aux lèvres.

— Helen ! Nous ne savions pas que tu étais en ville.

— Monsieur et madame Walken… Quel plaisir de vous voir ! Je suis arrivée la nuit dernière. Puis-je vous présenter Bram Myers ? Il a effectué plusieurs ouvrages en fer forgé pour Marcus. Bram, je vous présente Emily et George Walken. Ils habitent la maison voisine de la nôtre. Nos familles sont amies depuis des générations !

Bram échangea une vigoureuse poignée de main avec George Walken, qui lui plut aussitôt. Sa femme, vive et pétillante, paraissait aussi sympathique que lui.

— Bram… Quel prénom inhabituel, commenta-t-elle en lui serrant la main à son tour. Est-ce le diminutif d'Abraham ?

— Ça l'était pour mon arrière-grand-père, expliqua-t-il. Mes parents, eux, m'ont appelé Bram tout court.

— Je vous ai aperçu la semaine dernière, à l'entrée de Blackrose : vous installiez le nouveau portail, reprit Emily. Est-ce vous qui l'avez dessiné ?

— Oui.

— Toutes mes félicitations ! C'est absolument magnifique.

— C'est réussi, en effet, approuva George. Mais je regrette un peu la disparition des lions…

Helen lui décocha un regard triomphal.

— Les lions n'ont pas disparu, rectifia-t-elle. Bram les a mis en dépôt dans son atelier. Il m'a promis de les réinstaller.

Sa voix vibrait d'une détermination si farouche que Bram eut peine à retenir un sourire.

— Ne faites pas attention à George : il n'aime guère le changement, intervint Emily avec une ironie mêlée de tendresse. Mais notre vieille maison aurait besoin d'un coup de jeune... Si vous en êtes d'accord, je serais ravie de recourir à vos services lorsque vous aurez terminé votre travail à Blackrose.

— Avec plaisir, acquiesça-t-il. Je vous contacterai dès la fin de mon contrat.

— Entendu.

Ils bavardèrent encore quelques instants, puis les Walken prirent congé et rejoignirent leur table, où les attendaient deux belles parts de charlotte aux fraises.

— Ces gens sont charmants, commenta Bram. Ils me plaisent beaucoup.

Helen acquiesça avec chaleur.

— Je partage votre avis. Ils ont toujours été adorables avec Leigh et moi... Ils sont la mémoire de la communauté, vous savez ! Leurs familles sont installées dans la région depuis des générations... Le père de George était un ami intime de mon grand-père, et nos relations de voisinage ont toujours été excellentes. Comme Emily ne pouvait pas avoir d'enfants, ils ont compensé en élevant une ribambelle de gamins en difficultés. C'était la meilleure famille d'accueil de tout le comté !

Bram sourit, gagné par son enthousiasme.

— Je veux bien vous croire. A votre avis, Emily envisage-t-elle sérieusement de me confier du travail ?

— Certainement. Elle n'aurait pas formulé une telle d'offre à la légère. Je suis ravie pour vous, d'ailleurs.

Sans réfléchir, Bram posa une main sur la sienne. Elle avait la peau douce, délicieusement souple... Leurs regards se cherchèrent, mais lorsqu'ils se rivèrent l'un à l'autre, Bram sentit une crampe d'appréhension lui nouer l'estomac.

Car dans les yeux d'Helen brillait un désir identique au sien.

Bouleversé, il lâcha sa main et détourna les yeux.

— Bram… Il faut que je vous parle.

Parler ? songea-t-il avec ironie. Ils auraient mieux fait de partir, oui ! S'ils ne quittaient pas cet endroit au plus vite, s'ils ne se séparaient pas aussitôt après, ils commettraient certainement l'irréparable.

Et le regretteraient l'un comme l'autre au petit matin.

Un serveur s'approcha, leur offrant une distraction bienvenue. L'air gêné, Helen porta son verre à ses lèvres tandis que le jeune homme débarrassait rapidement leur table, avant de leur proposer la carte des desserts. Elle fit non de la tête.

Bram l'observa en silence. Cette femme l'intriguait au-delà du raisonnable. Il avait été étrangement nerveux toute la journée, et son travail s'en était ressenti. Bien sûr, il aurait pu mettre son manque de motivation sur le compte des lourdes chaleurs qui s'étaient abattues sur la région, mais il n'était pas dupe : c'était Helen qui le plongeait dans cet état. S'il ne mettait pas très vite le holà aux tentatives de séduction de la jeune femme, la forte attirance qu'il éprouvait pour elle tournerait à l'obsession. Alors, il ne répondrait plus de rien…

— De quoi parliez-vous avec Eden, tout à l'heure ? s'enquit-elle tout à trac lorsqu'ils furent de nouveau seuls.

Il se raidit, déconcerté. Et dut se faire violence pour chasser les images sensuelles qui dansaient devant ses yeux.

— Pardon ? marmonna-t-il. Vous m'avez vu parler avec Eden ?

— Oui, cet après-midi, quand je descendais l'escalier. C'était juste après… ce qui s'est passé dans ma chambre, acheva-t-elle d'une voix moins assurée.

Elle avait blêmi, signe que l'agression dont elle avait été victime était encore très présente à son esprit.

— Vous nous avez vus, mais vous n'avez pas entendu notre conversation ? s'enquit-il, dubitatif.

Elle secoua la tête.

— J'étais trop loin pour discerner le sens de vos propos. Mais j'ai cru comprendre que vous vous disputiez…

— En effet, acquiesça-t-il sans déguiser son amertume. Eden m'avait convoqué dans le hall pour me remettre à ma place.

Elle fronça les sourcils.

— Que voulez-vous dire ?

Il laissa échapper un soupir. A tout prendre, il aurait préféré éviter de lui raconter son altercation avec Eden. Mais puisqu'elle insistait…

— Votre belle-mère ne voit pas nos relations d'un très bon œil, Helen. Elle m'a demandé de cesser tout contact avec vous.

Un regard perplexe accueillit son explication.

— Je ne comprends pas…

— Ce n'est pourtant pas compliqué : je suis un simple employé, vous êtes la fille de mon patron. Et comme l'a fait remarquer Eden, « on ne mélange pas les torchons et les serviettes ».

La jeune femme poussa une exclamation outrée.

— Elle a osé dire *ça* ?

« Ça, et bien plus encore », acheva-t-il intérieurement. Car Eden, non contente de chercher à l'humilier en lui rappelant sa position sociale, lui avait également demandé de « renoncer à tout espoir concernant l'héritière de Blackrose » afin de laisser le champ libre au seul courtisan digne de son rang : son propre fils, Jacob.

La tirade avait été énoncée d'un ton pincé, comme s'il s'agissait d'une évidence. Bram en aurait ri… s'il n'avait été dévoré de jalousie. Jacob lui avait déplu dès le premier instant. Et il n'avait aucune envie de laisser ce type faire des avances à Helen sous prétexte qu'ils appartenaient au même monde. De plus, si Helen et Jacob n'avaient certes pas une goutte de sang en commun, ils étaient tout de même frère et sœur culturellement. Et envisager leur union avait quelque chose de choquant.

Mais il ne connaissait la jeune femme que depuis quarante-huit heures, à peine, et n'était guère en position de la conseiller sur ses choix matrimoniaux… Quant à ses dissensions avec sa famille, il préférait éviter le sujet. Helen semblait déjà très en colère contre Eden et Marcus. Inutile de mettre de l'huile sur le feu en lui racontant les projets que sa belle-mère nourrissait à son égard !

— Essayez de vous mettre à sa place, enjoignit-il doucement. Je sais que vous ne l'appréciez pas beaucoup, mais Eden est tout de même votre belle-mère… A sa façon un peu maladroite, elle cherche peut-être à assurer votre bonheur ?

— Mon *bonheur* ?

Les yeux de la jeune femme étincelaient de mépris.

— Cette femme n'agit que dans ses propres intérêts, reprit-elle avec hargne. Elle ne s'est jamais souciée de moi et ne s'en souciera jamais. Sauf si elle a quelque chose à y gagner…

Elle laissa sa phrase en suspens, avant de poursuivre :

— Mais j'y pense : c'est peut-être elle qui est venue fouiller dans ma chambre ! Combien de temps est-elle restée dans le hall avec vous ?

— Dix minutes environ. Mais elle se trouvait dans la cuisine quand je suis arrivé.

— Autrement dit, elle n'était pas dans ma chambre…

— J'en doute, en effet. A propos…

Il s'interrompit, cherchant ses mots. Helen n'apprécierait sans doute pas ce qui allait suivre, mais il souhaitait être le plus sincère possible avec elle.

— Pendant que vous étiez dans la salle de bains, tout à l'heure, je me suis allongé sur votre lit et j'ai essayé de voir le reflet de votre chambre dans le sous-verre qui…

— Vous avez *essayé* ? interrompit-elle.

99

Ses yeux lançaient des éclairs.

— Je n'ai rien vu, acheva-t-il d'un ton navré. Mais je n'étais peut-être pas au bon endroit, ou le soleil était trop bas, ou…

— Ou cette pauvre Helen souffrait d'hallucinations, c'est ça ? acheva-t-elle d'un ton cinglant.

— Ne parlez pas à ma place.

— Pourquoi pas ? Je ne fais que dire tout haut ce que vous pensiez tout bas.

Bram jura intérieurement. Helen se pencha, lui offrant une vue plongeante sur son décolleté. Etait-ce un geste innocent ou délibéré ? Il n'aurait su le dire — mais le spectacle était trop troublant pour qu'il s'y attarde. Il releva vivement les yeux.

Et croisa son regard furieux.

— Vous êtes d'accord avec Jacob, n'est-ce pas ? Vous pensez que j'ai imaginé cette histoire ?

— Je n'ai pas dit ça, insista-t-il.

— Peut-être. Mais vous l'avez pensé si fort que je l'ai entendu !

Elle jeta sa serviette sur la table et se leva brusquement.

— Je vous attends dehors.

Vif comme l'éclair, il lui saisit le poignet pour l'empêcher de partir.

— Quitte à faire une scène, Helen, autant en faire une bonne. Je n'aime pas les demi-mesures.

Elle écarquilla les yeux.

— Vous me faites mal.

— C'est faux.

Il desserra son étreinte et fit signe au serveur de lui apporter l'addition. Contrairement à ce qu'il avait laissé entendre, il n'avait aucune envie de se donner en spectacle avec une jeune héritière au beau milieu du restaurant le plus chic de Stony Ridge.

Helen se laissa choir sur sa chaise, raide comme la justice.

— Je suis désolée, murmura-t-elle. Mon mauvais caractère finira par me jouer des tours.

Il lui lança un regard surpris. Il ne s'attendait pas à des excuses de sa part.

— Ce n'est rien.

— Non, ce n'est pas « rien », protesta-t-elle. Je n'aurais pas dû m'emporter ainsi... mais j'avais tellement envie de vous convaincre ! Je sais que cette histoire d'agression vous paraît rocambolesque — surtout après les événements de la nuit dernière. J'étais si persuadée qu'un intrus...

— Merci, monsieur, intervint le serveur en prenant le billet que Bram lui tendait. Je vous rapporte la monnaie tout de suite.

— C'est inutile, décréta-t-il en se levant. Gardez-la pour vous.

Le jeune homme acquiesça en souriant, puis il tira la chaise d'Helen, qui le remercia d'un petit geste de la main. De la colère qui déformait son visage un instant plus tôt, il ne restait rien. Et ce fut avec une grâce souveraine qu'elle traversa la vaste salle du restaurant, sous les regards curieux et admiratifs des convives. Difficile de résister à son charme, en effet... et Bram, qui la suivait à courte distance, dut se forcer à regarder droit devant lui pour ne pas être surpris à fixer sa délicieuse chute de reins. « Cette femme n'est pas pour toi », se répéta-t-il comme un mantra. Superbe, oui. Divinement drôle et spirituelle. Intense et imprévisible. Mais sa fortune faisait d'elle une femme à part.

Un fruit qu'il s'était promis de ne plus jamais goûter.

En débouchant sur le trottoir, ils furent tous deux surpris par la fraîcheur de l'air nocturne. Un vent glacé s'engouffra sous leurs vêtements d'été, les faisant frissonner. Au loin, le tonnerre grondait.

— Je ne pensais pas qu'il y aurait de l'orage, remarqua Helen.

— Moi non plus. La météo annonçait une belle soirée.

Elle haussa les épaules.

— Ces types feraient bien de jeter un œil par la fenêtre, au lieu de rester collés à leurs écrans !

Il ne put retenir un sourire.

— Venez. Je vous raccompagne.

Ils avaient emprunté la voiture d'Helen pour se rendre en ville, délaissant sa camionnette bringuebalante pour la confortable berline de la jeune femme. Elle lui avait demandé de conduire alors, se déclarant trop fatiguée pour affronter les nids-de-poule qui creusaient l'allée de Blackrose. Il avait toujours les clés en poche, et ce fut tout naturellement qu'il contourna le véhicule pour ouvrir la porte passager à sa compagne.

Mais elle demeura dehors, un pli buté sur son joli front.

— Merci pour le dîner, déclara-t-elle d'un ton abrupt.

— Tout le plaisir était pour moi.

Elle n'avait pas bougé.

— Voulez-vous conduire ? s'enquit-il, incertain.

— Non.

— Alors, montez. Je préférerais rentrer avant la pluie.

Elle balaya sa requête d'un revers de main.

— Vous croyez *vraiment* que j'ai tout imaginé ? s'enquit-elle d'une voix sourde.

Il laissa échapper un soupir.

— Montez dans la voiture, Helen.

Autant parler à un mur : elle ne remua pas le petit doigt. Et la détermination qui brillait dans son regard en disait long sur son entêtement : elle ne bougerait pas tant qu'il n'aurait pas consenti à lui répondre.

Vaincu, il affronta résolument son regard.

— Vous m'avez dit qu'il n'y avait aucun objet de valeur dans votre sac. L'intrus est donc reparti bredouille.

— En effet.

— Dans ce cas, pourquoi se serait-il donné la peine de revenir pour tout mettre en ordre ?

— Je ne sais pas ! s'écria-t-elle rageusement. C'est peut-être un maniaque de l'ordre. Ou bien c'est un pervers qui veut me rendre folle... Et avouez qu'il s'y prend plutôt bien ! Mais je vous assure que je n'ai pas imaginé le T-shirt que ce type a plaqué sur mon visage !

Elle semblait absolument, intimement persuadée de ce qu'elle avançait. Et Bram ne demandait qu'à la croire... mais son histoire présentait tant d'invraisemblances ! Si seulement ils disposaient d'éléments plus concrets... Les seules « impressions » d'Helen n'étaient guère convaincantes, hélas.

Comme il ne répondait pas, elle s'engouffra vivement dans la voiture — si vivement que sa jupe remonta haut sur ses cuisses, dénudant sa peau dorée par le soleil. Bram, qui s'était assis derrière le volant, n'aurait eu qu'à tendre la main pour la caresser...

Il détourna les yeux en serrant les dents. Elle se trompait : c'était *lui* qui devenait fou... A ce rythme-là, il hurlerait bientôt avec les loups à la nuit tombée !

Une chose était sûre, songea-t-il en s'efforçant de reporter son attention sur la conversation : Blackrose n'était pas une maison comme les autres. Helen avait raison d'avoir peur : lui-même s'y était senti mal à l'aise, la veille au soir. Il n'en avait pas fallu davantage pour éveiller le chevalier qui sommeillait en lui. Mais il n'avait pas l'intention de dormir chaque soir auprès d'elle pour la protéger... sauf si le danger était bien réel.

Ce qui restait à prouver.

Helen observait Bram à la dérobée. Grand, les épaules larges, le regard droit, il la rassurait plus qu'elle ne voulait l'admettre. Dans l'univers inquiétant et mouvant qui était le sien depuis la veille, cet homme était sa bouée d'ancrage. S'il ne croyait pas à son récit, qui la croirait ? Certainement pas les occupants du château, tous plus hostiles les uns que les autres !

Elle sentit son estomac se nouer à cette pensée. Quelle étrange surprise l'accueillerait à son retour, ce soir ? Un fantôme, caché dans le placard de la salle de bains ? Ou une araignée géante dans son lit, ou…

« Du calme », s'intima-t-elle. La réalité serait sans doute plus banale qu'elle ne le craignait : après un sobre bonsoir, Bram la laisserait au pied des marches. Et elle rentrerait se coucher. Sans avoir éclairci aucune des questions qu'elle se posait à son sujet : la raison de son aversion pour le mariage, par exemple. Ou ce qui le poussait à nier le désir, pourtant éclatant, qu'il éprouvait pour elle.

Il démarra sans un mot et s'avança vers la sortie du parking.

— Vous feriez mieux de rentrer à Boston, déclara-t-il tout à coup.

Rentrer à Boston ? Sa suggestion était si vexante qu'elle dut retenir un cri de colère.

— Je vous dérange tant que ça ?

Il lui décocha un regard noir.

— C'est votre situation qui me dérange, pas vous.

— Je pensais que vous ne croyiez pas à mes histoires.

Il parut chercher ses mots, avant de répondre :

— Vous êtes trop seule dans cette maison.

— Elle est pleine de monde, pourtant.

— C'est vrai. Mais ces gens ne vous aiment pas, reprit-il avec gravité. Vous avez besoin d'un allié.

— Vous oubliez Jacob. Et vous…

Il crispa les mains sur le volant.

— Je sais que je vous attire…

— Parfait, interrompit-elle. Je sais que vous éprouvez la même chose à mon égard.

— Je suis trop vieux pour vous, trancha-t-il.

— Vraiment ? J'ignorais que vous aviez soixante-cinq ans !

Il ne sourit pas. Et sa voix ne trahit aucune émotion lorsqu'il répliqua :

— A partir de soixante-cinq ans, les hommes ne vous intéressent plus ?

— Tout dépend de ce que je veux en faire.

Elle avait délibérément joué la carte de la provocation, et fut satisfaite de le voir tressaillir.

— J'ai trente-cinq ans, Helen.

— Mon Dieu… Vous êtes si vieux que ça ? ironisa-t-elle, l'air faussement horrifiée. Entendez-vous vos os craquer quand vous vous mettez au lit ?

Son impertinence lui valut un autre regard, plus noir encore que le précédent.

— Arrêtez ce petit jeu. J'ai dix ans de plus que vous.

— Je sais compter, merci. Mais ça ne m'impressionne pas. Les filles mûrissent plus vite que les garçons. Nous avons donc à peu près le même âge mental, vous et moi.

— Arrêtez, répéta-t-il. Dans quelle langue faut-il vous le dire ? Vous ne m'intéressez pas.

— Menteur, rétorqua-t-elle avec superbe.

Il l'avait blessée… mais il n'en saurait rien, se promit-elle rageusement. Il la traitait de gamine ? Libre à lui. Mais elle ne s'abaisserait pas à pleurer dans ses basques !

— Vous jouez avec le feu, affirma-t-il d'une voix étrangement suave.

— La chaleur ne me fait pas peur… Et vous, que craignez-vous ?

— Personne. Etes-vous toujours si directe ?

— Quand je veux quelque chose, oui.

— Ce soir, c'est moi que vous voulez, c'est ça ?

Une profonde amertume avait durci sa voix, et Helen ne put s'empêcher de se demander s'il ne s'agissait pas d'une blessure ancienne.

— Votre ego vous perdra, répliqua-t-elle avec une légèreté délibérée. Vous m'intriguez… J'aimerais mieux vous connaître, c'est tout. Est-ce donc un crime ?

La pluie qui tombait depuis quelques minutes s'intensifia brusquement. Les gouttes s'écrasaient comme autant de larmes sur le pare-brise, en un parfait reflet de la triste scène qui se jouait dans la voiture. Bram tendit la main vers l'essuie-glace, puis il reporta son attention sur la route.

Déconcertée, Helen attendit en vain qu'il réponde à sa question. Mais ce fut dans un profond silence qu'ils franchirent le portail de Blackrose. Bram s'avança devant la maison, dont la haute façade se découpait nettement sur le ciel sombre, offrant un spectacle des plus lugubres.

— Rentrez chez vous, Helen, murmura Bram en coupant le contact.

Elle sursauta comme s'il l'avait giflée.

— Je suis chez moi, ici.

— Je parlais de Boston, insista-t-il avec un calme d'autant plus irritant qu'elle avait les nerfs à vif.

— Je n'ai aucune envie de rentrer. Je viens juste d'arriver !

Il se tourna vers elle, cherchant son regard.

— Je ne plaisante pas, Helen. Ces gens vont vous faire du mal… Rentrez chez vous et laissez votre notaire régler vos affaires.

106

Serrant la mâchoire, elle plongea ses yeux dans les siens.

— Merci du conseil. Puis-je avoir mes clés ?

Elle tendit la main — et constata avec plaisir qu'elle ne tremblait pas.

— Je m'inquiète pour vous, insista-t-il en lui rendant son trousseau.

Il avait veillé à ne pas l'effleurer, comme s'il redoutait de raviver son désir en sentant sa peau sous ses doigts... Il avait follement envie d'elle, lui aussi. Mais Helen ne parvint pas à s'en réjouir.

— C'est gentil, mais n'en perdez pas le sommeil, répliqua-t-elle sèchement. Je n'ai pas besoin d'un ange gardien.

Elle ouvrit la portière et sortit sous la pluie battante.

— Bonne nuit, ajouta-t-elle en se penchant vers la fenêtre. Merci pour le dîner.

Elle courut jusqu'au perron, espérant tout de même qu'il allait la suivre.

Mais il n'en fit rien. Et ce fut seule qu'elle poussa la lourde porte d'entrée. Des larmes de désespoir et de rage mêlées affluaient à ses paupières. Par chance, personne n'était là pour les voir : le vaste hall était désert. Tant mieux ! Elle n'était pas en état d'affronter qui que ce soit — pas même Jacob. Elle s'élança vers l'escalier en retenant un sanglot et se précipita vers sa chambre... avant de se rappeler qu'elle y avait été agressée quelques heures plus tôt.

Le cœur battant, elle s'arrêta sur le seuil de la porte. Elle tendit la main vers l'interrupteur et l'enclencha d'un coup sec. La lumière inonda la pièce... qui était exactement telle qu'elle l'avait laissée : vide. Et parfaitement en ordre...

A cette différence près : il y avait un morceau de papier sur sa table de nuit.

L'angoisse lui noua l'estomac. Puis elle se rappela que Bram avait posé quelque chose sur la table avant de quitter la pièce, tout à l'heure. Elle n'y avait pas prêté attention, alors. Mais maintenant…

Elle s'approcha d'un pas vif. L'objet était une photographie. Elle s'en empara… Et reconnut son propre visage ! L'arrière-plan était flou, mais les bâtiments ne lui évoquaient rien.

Elle se mordit la lèvre, troublée. Qui avait pris ce cliché ? Elle n'en avait aucun souvenir. Il s'agissait sans doute de Leigh… à dix-sept ou dix-huit ans, estima-t-elle en observant l'image avec plus d'attention. Sauf que Leigh n'avait jamais eu les cheveux si courts.

A moins que… Elle secoua la tête. Au fond, elle n'en était pas certaine. Leigh avait peut-être eu les cheveux courts, après tout.

Où Bram avait-il trouvé cette photo ? Et pourquoi l'avait-il posée sur sa table de nuit sans rien lui dire ?

Comme elle se penchait vers la lampe pour y voir plus clair, le cliché lui échappa et glissa sous le lit. Etouffant un juron, Helen s'agenouilla pour le récupérer… et saisit sa bouteille d'eau dans le même mouvement. Elle l'avait laissée tomber en s'endormant dans l'après-midi, et avait oublié jusqu'à son existence.

Elle se redressa, posa la photographie sur la table et ouvrit la bouteille. L'eau était désagréablement tiède, mais elle en avala une longue gorgée par principe. La journée avait été chaude, et elle ne s'était pas désaltérée autant qu'elle avait coutume de le faire. D'ailleurs, elle…

Une porte claqua violemment dans le couloir, interrompant ses pensées. Helen sursauta. Qui était là ? Personne ne dormait dans cette partie de la maison… à part Eden et elle.

Autant en avoir le cœur net : posant la bouteille à terre, elle s'avança vers la porte, qu'elle ouvrit en grand. Le couloir était plongé dans l'obscurité la plus complète. Pourtant, lorsqu'elle était montée, un instant plus tôt, une lumière brûlait toujours sur le palier. Quelqu'un l'avait éteinte… « Pour me faire peur ? » se demanda-t-elle, la gorge nouée.

Eden ne l'avait jamais aimée. Mais de là à claquer les portes et à éteindre les lumières pour l'effrayer… N'était-ce pas un peu puéril ?

Puéril *et* totalement inutile, décida-t-elle en s'avançant à tâtons dans le couloir enténébré. Elle n'était pas une mauviette, tout de même ! L'interrupteur se trouvait à cinq mètres, entre deux portes. Il lui suffirait de rallumer la lumière pour que tout redevienne normal. Et puis, elle n'avait rien à craindre : il n'y avait *personne* dans ce couloir, n'est-ce pas ?

Chassant les pensées grotesques qui se pressaient à son esprit, elle franchit les quelques pas qui la séparaient de l'interrupteur et tendit la main. Mais rien ne se produisit quand elle appuya sur le bouton.

De mieux en mieux, grommela-t-elle pour elle-même. Les plombs du couloir avaient sauté ! Mais qu'à cela ne tienne : elle descendrait dans la cuisine pour rétablir le courant. Ce n'était pas une panne de courant qui allait l'abattre, tout de même !

Elle regagna sa chambre et ouvrit le tiroir de la table de nuit. Un vif soulagement l'envahit : la lampe de poche qu'elle y avait laissée lors de son dernier séjour s'y trouvait encore. Elle venait de s'en emparer quand un bruit de pas se fit entendre dans son dos.

Quelqu'un venait d'entrer dans sa chambre.

— Helen ! Tu es déjà rentrée ? s'exclama Jacob. J'ai vu de
la lumière dans ta chambre… Tout va bien ?

Elle lui offrit un pâle sourire.

— Oui. Tout va bien, mentit-elle.

— Ton dîner s'est bien passé ? Tu sais, je ne voulais pas
m'imposer, tout à l'heure…

— Ne t'inquiète pas, répliqua-t-elle avec lassitude. Ce n'est
vraiment pas grave.

— Pourtant, Bram semblait furieux que j'essaie de troubler
votre tête-à-tête…

— Ce n'était pas un « tête-à-tête », objecta-t-elle un peu
sèchement. Il m'a proposé de partager son dîner : j'ai accepté,
rien de plus. Nous avons parlé de son travail, si tu veux tout
savoir.

Jacob haussa les sourcils.

— Ah ? Tu veux exposer ses œuvres dans ta galerie, c'est
ça ?

Elle acquiesça. Sa conversation avec Bram n'avait pas
exactement roulé sur ce sujet, mais elle n'était pas d'humeur
à faire des confidences à Jacob.

— C'est un de mes projets, oui. Certaines de ses pièces
méritent une exposition à elles seules.

Son compagnon eut une moue dubitative.

— Puisque tu le dis… C'est toi l'expert, après tout ! Mais… tu pars en expédition, ou quoi ? ajouta-t-il en désignant la lampe torche qu'Helen tenait à la main.

— L'électricité ne fonctionne plus dans le couloir. Je m'apprêtais à descendre à la cuisine. Les plombs ont dû sauter, une fois de plus.

— Ah bon ? marmonna-t-il, étonné. Je n'avais rien remarqué. Comme tu avais laissé ta porte ouverte, je n'ai pas eu besoin d'allumer la lumière en venant. Et chez moi, tout fonctionne… Mais je t'accompagne. A nous deux, nous réussirons peut-être à identifier la panne !

Elle accepta avec soulagement. Jacob à son côté, les couloirs seraient moins sinistres.

— Ecoute… Je ne voudrais pas paraître indiscret, reprit-il en lui emboîtant le pas dans l'obscurité, mais… qu'y a-t-il entre toi et ce forgeron, au juste ?

Helen ralentit le pas. La question de Jacob avait le mérite d'être claire. La réponse ne pouvait guère y prétendre, hélas… Comment définir la nature de ses relations avec Bram ? Ils n'étaient ni amis, ni amants — et ne le seraient sans doute jamais, songea-t-elle en rougissant au souvenir de ce qui s'était passé dans la voiture. Jamais elle n'avait dragué un homme avec une telle effronterie… et jamais elle n'avait été rejetée avec une telle fermeté.

— Je sais que ce ne sont pas mes oignons, mais… ce type n'est vraiment pas ton genre ! ajouta Jacob avec embarras.

— Parce que tu connais mon genre d'homme, à présent ? ironisa-t-elle, heureuse d'esquiver la question qu'il lui avait posée.

— Pas vraiment, non, mais… disons que Bram me semble un peu… bizarre.

— Que lui reproches-tu, au juste ?

— Je ne sais pas, moi… Une certaine nervosité, peut-être. Oui, c'est ça, reprit-il avec plus d'assurance. Je le trouve vraiment nerveux, en fait. Quand je repense à la façon dont il m'a plaqué contre le mur, hier soir…

— Il t'a pris pour un intrus, interrompit vivement Helen. Il était normal qu'il cherche à te neutraliser, non ?

— A me *neutraliser* ? Il m'aurait envoyé à l'hôpital, si tu n'étais pas intervenue ! Enfin, admettons… Mais cela n'explique pas ce qu'il faisait dans la maison cet après-midi.

Helen sentit son cœur s'accélérer.

— Maman l'a surpris en train de monter l'escalier, poursuivit Jacob d'un ton accusateur. Il a dit qu'il te cherchait, mais elle n'en a pas cru un mot, naturellement ! Tu ne lui avais pas demandé de venir, n'est-ce pas ?

Elle fronça les sourcils. Jacob paraissait ignorer que c'était Eden qui avait convoqué Bram à l'intérieur… Pourquoi avait-elle menti à son fils ?

— Maman s'est inquiétée, bien sûr, continua Jacob. Et pour une fois, je suis d'accord avec elle. Après tout, ce type n'a rien à faire dans la maison : il est payé pour travailler à l'extérieur ! Et puis… pour être franc, elle craint qu'il n'en ait après ton argent, Helen.

— Comment ça ? marmonna-t-elle, interloquée.

— Eh bien… Tu vas hériter dans peu de temps, non ? Avoue que cela peut susciter certaines convoitises…

Il paraissait extrêmement gêné, comme si le sujet mettait sa pudeur à rude épreuve.

— En un mot, vous pensez que Bram est un coureur de dot ? conclut-elle abruptement.

— Je… Oui, c'est ça, concéda-t-il. Nous ne savons rien de lui, au fond : il a peut-être besoin d'argent. Mais je ne voudrais surtout pas t'effrayer. Il s'agit sans doute d'un flirt parfaitement innocent de sa part…

112

Un *flirt* ? Elle se raidit. Si Jacob savait à quel point il se trompait !

— Je te répète qu'il n'y a rien entre nous. Et si Bram avait essayé de me draguer, je m'en serais aperçue, tu peux me croire ! assura-t-elle avec une secrète amertume.

La conversation prenait un tour douloureusement ironique. Bram n'avait jamais cherché à la séduire — bien au contraire : il avait repoussé sans ménagement les avances qu'*elle* lui avait faites !

Néanmoins, la sollicitude de Jacob lui allait droit au cœur.

— Merci, dit-elle en posant une main sur son bras.

— De quoi ?

— De te faire du souci pour moi. Mais tu n'as aucune raison de t'inquiéter : je sais reconnaître un coureur de dot à cent kilomètres ! Quant à Bram... c'est un type intéressant, mais je n'ai pas l'intention de dîner avec lui tous les soirs.

— Bon... Je suis désolé d'avoir abordé le sujet. Les mauvais garçons attirent tellement de filles que j'ai eu un peu peur pour toi... Mais j'aurais dû savoir que les beaux ténébreux n'étaient pas ton genre.

Là encore, il se trompait : Bram était tellement plus qu'un « beau ténébreux » !

— Sans compter qu'il est trop vieux pour toi, ajouta Jacob d'un ton sentencieux.

— Tu exagères : il n'a que trente-cinq ans ! protesta-t-elle, choquée par sa remarque.

— Vraiment ? Je lui en aurais donné beaucoup plus. Il a l'air d'un vieux motard, avec son tatouage sur le bras !

Helen secoua la tête. Ce n'était pas son sentiment — le tatouage de Bram éveillait sa curiosité, au contraire — mais à quoi bon argumenter ? Jacob semblait déterminé à dénigrer le forgeron par tous les moyens. Autant changer de sujet, décida-t-elle.

— Nous avons rencontré une foule de gens, à l'Auberge, déclara-t-elle. Tout Stony Ridge était de sortie. Il y avait même nos voisins, les Walken !

— Nos voisins ? Ces gens habitent à trois kilomètres d'ici ! remarqua Jacob avec bonhomie.

Elle lui adressa un regard amusé.

— Et alors ? Techniquement, ce sont nos voisins, non ?

— Je sais bien… mais avoue que l'expression prête à sourire !

— Tu n'es pas un campagnard, hein ?

— Et je n'en serai jamais un, acheva-t-il. Je n'ai jamais compris ce que ma mère trouvait à cet endroit… Vivre au milieu de nulle part dans un manoir caverneux, franchement, très peu pour moi !

Helen s'apprêtait à tourner sa remarque en dérision quand une ombre glissa près d'eux pour se figer en haut de l'escalier. Jacob, qui s'était arrêté lui aussi, s'empara vivement de son bras pour lever la torche à hauteur de leur visage.

Le faisceau de la lampe éclaira le visage cireux de Paula Kerstairs.

— Baissez c'te lampe, ordonna-t-elle. Vous m'aveuglez.

— Que faites-vous ici ? répliqua Jacob en lâchant le bras d'Helen.

— J'avais perdu mon portefeuille, expliqua Paula en leur agitant l'objet sous le nez. J'ai dû le laisser tomber en faisant les chambres, cet après-midi… J'ai téléphoné à Odette pour lui demander de vérifier, mais elle m'a envoyé sur les roses. Alors, j'ai dû refaire la route en sens inverse pour le chercher moi-même. Sous la pluie, en plus ! J'allais sortir quand vous m'êtes tombés dessus. Mais qu'est-ce que vous fichez dans le noir ?

Tendant la main vers l'interrupteur, elle ralluma la lumière d'un geste sec.

— Mais… qu'est-ce que vous faites ? bredouilla Helen, stupéfaite.

— Vous préférez vivre dans le noir ? rétorqua la femme de ménage d'un ton hautain. Comme vous voulez…

Et, sans laisser à Helen le temps de répondre, elle éteignit le plafonnier.

— Rallumez-le, intima la voix de Jacob dans l'obscurité. Et je vous prie d'adopter un autre ton.

Elle enclencha de nouveau l'interrupteur, en maugréant, puis tourna les talons et s'engouffra dans l'escalier. Sa maigre silhouette disparut, comme happée par la pénombre du hall.

— Cette bonne femme me fiche la frousse, commenta Jacob.

— A moi aussi…, murmura Helen.

Tendant la main vers l'interrupteur que Paula venait d'utiliser, elle éteignit puis ralluma la lumière. Tout fonctionnait. C'était à n'y rien comprendre !

— Ça ne marchait pas il y a cinq minutes, affirma-t-elle, troublée.

Jacob se mordit les lèvres, l'air déconcerté.

— Tu en es sûre ?

— Evidemment !

— Ma mère a peut-être rétabli le courant avant nous.

C'était possible, en effet. Mais cette hypothèse ne suffit pas à rassurer Helen, de plus en plus mal à l'aise. Quelque chose ne tournait pas rond, c'était évident.

— Jacob… As-tu entendu une porte claquer, tout à l'heure ?

Il lui lança une œillade incrédule.

— Personne ne claque jamais les portes, ici : ce n'est pas le genre de la famille !

Il avait raison. C'était bien ce qui l'avait alertée, d'ailleurs.

— Je sais. Mais une porte a claqué tout à l'heure, près de ma chambre, insista-t-elle.

Il secoua la tête.

— Désolé, je n'ai rien entendu. Euh… Helen ? ajouta-t-il, l'air soucieux.

— Oui ?

— Tu te sens bien ?

Elle laissa échapper un profond soupir.

— Non, je ne me sens pas bien ! s'écria-t-elle, exaspérée. Je suis fatiguée, stressée et j'entends des bruits… Avoue qu'il y a de quoi être nerveuse, non ?

Les lèvres de Jacob s'étirèrent en un sourire si navré qu'elle regretta aussitôt son accès de colère.

— Pardonne-moi. Je n'aurais pas dû crier comme ça… Je ne suis vraiment pas dans mon assiette, ce soir.

Il écarta ses excuses d'un revers de main.

— Ne t'en fais pas. C'est déjà oublié… Si nous allions regarder un bon film, tous les deux ? Ton père est déjà monté se coucher : la salle de télévision était vide quand je suis passé devant, tout à l'heure. Et j'ai apporté quelques DVD…

Elle n'hésita pas longtemps. La perspective de regagner sa chambre la plongeait dans une angoisse inexprimable.

— Excellente idée, acquiesça-t-elle avec enthousiasme.

Le visage de son compagnon s'éclaira.

— Génial. Je le laisse choisir le film. Moi, je m'occupe du pop-corn !

— Je viens de manger, protesta-t-elle.

— Aucune importance, assura-t-il d'un air malicieux. Je suis sûr que tu en auras envie quand je te mettrai le plat sous le nez !

Il avait raison : elle fut absolument incapable de résister à la tentation lorsque Jacob lui présenta une assiette de pop-corn dorés et caramélisés à point, vingt minutes plus tard. Elle avait profité de l'interlude pour choisir un film parmi la dizaine de DVD qu'il avait empilés sur le tapis de la petite salle de télévision. Jacob approuva son choix — une comédie d'aventure tournée au Mexique — et s'installa près d'elle sur le canapé, un verre de soda à la main. Helen se cantonna à sa bouteille d'eau, qu'elle vida d'un trait avant d'en entamer une seconde dès les premières minutes du film. Elle avait terriblement soif… La chaleur, sûrement. Bien sûr, le pop-corn n'arrangeait rien, mais tout de même… elle était si fatiguée !

Quelques instants plus tard, elle dormait à poings fermés, la tête renversée contre l'épaule de Jacob.

— Helen ?

— Hmm ?

Quelqu'un la secouait doucement par les épaules. Elle ouvrit les yeux. Penché sur elle, Jacob l'observait d'un air bienveillant.

— Réveille-toi, dit-il. Le film est terminé.

Elle se frotta les paupières.

— Déjà ? Je suis désolée… Je ne sais pas ce qui m'arrive. Je suis vraiment épuisée en ce moment.

— Ne t'excuse pas. C'est normal, avec la vie que tu mènes… Tu as besoin de vacances, c'est tout ! Allons, viens. Je te raccompagne jusqu'à ta chambre. Veux-tu que je prenne ta bouteille d'eau ?

— Volontiers. Je meurs de soif.

Elle s'efforça de sourire, sans y parvenir complètement. Le moindre geste lui semblait insurmontable. Une étrange langueur s'était emparée de ses membres, et elle ne parvenait pas à rassembler ses pensées.

— Désolée de m'être endormie, répéta-t-elle. Je te revaudrai ça.

— Hmm… Quand tu veux, ma belle.

Helen tressaillit. Avait-elle bien entendu ? Elle se redressa mais ses jambes la tenaient à peine, et elle manqua de trébucher sur le tapis.

— Attention ! s'écria Jacob.

— Merci. Ça devient gênant…

Il la devança pour lui tenir la porte.

— Mais non, assura-t-il. Ce qui serait gênant, c'est que je te propose de te porter jusqu'à ta chambre : contrairement à ton ami Bram, qui soulève des barres d'acier toute la journée, je te laisserais sûrement tomber avant d'arriver à l'escalier !

Bram…, songea-t-elle. Bram qui la soulevait dans ses bras pour l'emmener jusqu'à son lit… Elle secoua la tête pour échapper à la vision érotique qui lui traversait l'esprit — et faillit manquer la première marche de l'escalier.

— Eh ! s'écria de nouveau Jacob en lui attrapant la main. Doucement…

— Dois-je comprendre que tu me compares à une tonne d'acier ? répliqua-t-elle d'un ton faussement léger.

Elle échappa à son emprise et gravit quelques marches supplémentaires.

— Pas du tout, protesta-t-il. Tu es légère comme une plume. C'est moi qui ne sais pas m'y prendre…

Elle fronça les sourcils. Jacob était bizarre, ce soir… Pour un peu, elle aurait juré qu'il essayait de la séduire. Mal à l'aise, elle monta un peu plus vite, et pressa le pas dans le couloir qui menait à sa chambre.

— Bonne nuit, dit-elle en s'arrêtant sur le seuil. Merci pour le film. La prochaine fois, je tâcherai d'être plus attentive !

— Ne t'inquiète pas pour ça... Ce n'était pas un très bon film, de toute façon.

Il lui caressa la joue d'une main hésitante. Helen sentit un cri monter dans sa gorge... Mais avant qu'elle ait pu protester, Jacob déposait un chaste baiser sur son front — à la manière du frère aîné qu'il avait toujours été pour elle.

— Dors bien. A demain.

— O-oui. Toi aussi.

Elle recula d'un pas et verrouilla la porte. Puis elle s'adossa contre le battant avec un soupir tremblant. Que lui arrivait-il, bon sang ? Depuis quand Jacob lui apparaissait-il comme une menace ? Elle avait mal interprété ses propos, voilà tout. Demain, à la lumière du jour, ses frayeurs lui sembleraient grotesques, se promit-elle en traversant la chambre à pas lourds.

Elle se dévêtit rapidement et saisit un vieux T-shirt dans sa commode, qu'elle enfila en bâillant à s'en décrocher la mâchoire. Puis, incapable de rassembler l'énergie nécessaire pour se brosser les dents, elle se laissa tomber sur son lit et s'endormit aussitôt.

Il faisait grand jour lorsqu'elle s'éveilla, le lendemain matin. Sa gorge était si sèche qu'elle faillit s'étouffer en avalant une longue gorgée d'eau, achevant de vider la bouteille que Jacob avait posée sur sa table de nuit la veille.

Elle venait de remettre la bouteille à sa place, quand une impression étrange l'assaillit. Elle se redressa pour jeter un coup d'œil autour d'elle... et sentit un frisson glacé lui raidir la nuque.

La photographie de Leigh avait disparu !

Ecartant vivement les couvertures, elle se pencha pour regarder sous le lit. Rien. Rien non plus sur le tapis ni derrière la table de nuit. Pourtant sa porte était toujours verrouillée, et celle qui ouvrait sur la salle de bains qu'elle partageait avec Leigh l'était également.

Autrement dit, quelqu'un s'était introduit dans sa chambre la veille au soir, pendant qu'elle regardait le film au rez-de-chaussée.

Bram ?

Non, c'était absurde. Pourquoi dérober la photographie qu'il avait lui-même placée sur la table de nuit ?

— Calme-toi, s'enjoignit-elle à voix haute. Il y a forcément une explication.

Le son de sa propre voix ne suffit pas à chasser son angoisse, mais il agit comme un baume sur ses nerfs à vif. Et ce fut en respirant plus posément qu'elle se força à considérer la situation de la façon la plus rationnelle possible.

Qui se trouvait dans la maison hier soir ? Eden et Marcus, bien sûr. Mais ils étaient couchés. Mme Norwhich ? Elle dormait au rez-de-chaussée, près de la cuisine. Si elle était montée, Jacob l'aurait vue traverser le hall. Restait Paula... Certes, elle avait regagné le rez-de-chaussée après leur rencontre sur le palier. Mais qui prouvait qu'elle avait bien quitté la maison ? Au fond, rien ne l'avait empêchée de se cacher dans un coin — Blackrose n'en manquait pas ! — et d'attendre que Jacob et elle soient installés devant la télévision, pour regagner discrètement le premier étage... et subtiliser la photographie.

Mais pourquoi se donner tant mal pour une vieille photo de Leigh ?

Quelle importance avait donc ce cliché ?

Elle secoua la tête. Les questions se pressaient dans sa tête, toutes plus impénétrables les unes que les autres. Seule, elle ne parviendrait pas à y répondre, décida-t-elle en se dirigeant vers la salle de bains. Le mieux était d'en parler à Leigh. Oui, excellente idée : Leigh saurait lui dire, elle, où le cliché avait été pris !

Elle l'appellerait dès qu'elle aurait terminé sa toilette. L'après-midi commençait en Angleterre : avec un peu de chance, Leigh ne serait pas encore sortie se promener avec ses amis. Un sourire joyeux s'épanouit sur ses lèvres à la perspective de bavarder avec sa sœur… Il n'y avait qu'une semaine qu'elle était partie, mais elle lui manquait tant !

Après avoir pris une douche rapide, elle revêtit un panta-court et un T-shirt sans manches, donna un coup de peigne à ses cheveux mouillés et s'empara de son téléphone portable. Il était à peine 9 heures… Pourvu que Leigh soit encore à la maison, pria-t-elle en composant le numéro que cette dernière avait griffonné sur un bout de papier avant son départ.

Sa prière ne fut pas exaucée : à l'autre bout de la ligne, une dame au fort accent anglais lui annonça que Leigh était partie visiter Cambridge tôt dans la matinée, et ne serait sans doute pas de retour avant la fin de la journée. Ravalant sa déception, Helen la remercia, puis raccrocha sans laisser de message.

Que faire, à présent, se demanda-t-elle, un peu désemparée. Parler à Bram ? Il pourrait lui expliquer où il avait trouvé la fameuse photographie… si elle parvenait à lui arracher un mot après leur altercation de la veille, songea-t-elle avec un soupir. Bah ! Elle ne perdrait rien à l'interroger, de toute façon. Ensuite, elle passerait l'annuaire au peigne fin pour tenter de localiser le notaire de Dennison. Il aurait peut-être quelques réponses à lui fournir, lui aussi…

Elle en était là de ses réflexions quand un mouvement attira son attention, dans le jardin. Elle s'approcha de la fenêtre… et se figea, interloquée : accroupie derrière une haie, à l'entrée du labyrinthe, Eden venait de se redresser pour jeter un œil dans l'allée voisine. Pourtant, il n'y avait personne dans le jardin…

Quelle mouche l'avait donc piquée ?

Déjà étrange, la scène devint franchement bizarre lorsque Eden prit son élan pour aller se cacher derrière un arbre… avant de disparaître au détour d'une allée.

Helen ne s'accorda pas un instant de réflexion. Le comportement d'Eden était trop insolite pour ne pas la pousser à agir. Quittant sa chambre en courant, elle dévala l'escalier quatre à quatre et traversa la cuisine en trombe, sous le regard exaspéré de Mme Norwhich.

— Et votre petit déjeuner ? lança-t-elle.

— Pas le temps ! cria Helen en franchissant la porte qui menait au jardin.

Il ne lui fallut que quelques secondes pour atteindre l'entrée du labyrinthe. A bout de souffle, elle ralentit devant l'arbre qui avait servi de cachette à Eden. La chaleur était accablante, et l'air curieusement immobile. Helen leva les yeux vers le ciel : pas un nuage à l'horizon… mais l'orage semblait rôder comme une menace invisible, renforcée par le silence feutré, presque pesant, qui régnait sur le parc.

Eden, quant à elle, n'était nulle part en vue. Helen reprit sa course, s'élançant à toutes jambes sur le sentier qu'avait emprunté sa belle-mère quelques minutes auparavant. Très vite, elle parvint à un carrefour : l'allée de droite s'enfonçait plus avant dans le parc pour se terminer abruptement au-dessus du fleuve Hudson. L'allée de gauche suivait des méandres compliqués avant de ramener le promeneur à l'entrée du labyrinthe. Tirant mentalement à pile ou face, Helen choisit d'obliquer sur la droite.

Il y avait des années qu'elle ne s'était pas rendue dans cette partie du labyrinthe… et pour cause : les sentiers méticuleusement entretenus par sa mère et son grand-père n'étaient plus qu'un lointain souvenir. Envahis par les ronces et les mauvaises herbes, ils n'invitaient guère à la promenade. C'était d'autant plus dommage que la vue sur l'Hudson y était magnifique... Décidément, un sérieux nettoyage s'imposait ! jugea Helen avec agacement. Dès qu'elle aurait repris les rênes du domaine, elle embaucherait une équipe de jardiniers pour redonner au parc sa splendeur disparue et...

Aïe ! Un juron lui échappa : elle venait de s'égratigner la jambe contre une ronce. Elle détacha la branche coupable, qui s'était agrippée à son pantalon, et reprit sa course — plus lentement, cette fois. La chaleur commençait à lui peser, le souffle lui manquait. D'un revers de main, elle essuya les gouttes de sueur qui perlaient à son front. Plaqué contre son buste moite, son T-shirt lui collait à la peau. Les branches des arbres balayaient ses épaules nues sans lui apporter la moindre fraîcheur. Il faisait terriblement lourd.

A quoi bon chercher Eden dans cette fournaise ? La femme de son père avait sans doute rebroussé chemin pour s'abriter à l'intérieur. Elle-même ferait mieux d'en faire autant avant de fondre sur place ! décida-t-elle en tournant les talons.

— Non !

Helen se figea, interdite. La voix de Marcus venait de briser le silence.

— Je ne paierai pas un centime de plus ! tonna-t-il, très en colère.

A qui parlait-il ? Elle s'avança prudemment vers le petit sentier d'où semblait venir la voix de son père...

Qui résonna de nouveau, brisée par un rire sans joie.

— Ah ! Fini, les menaces. Ça ne prend plus avec moi !

Ce n'était pas la première fois qu'Helen assistait à une des colères de son père... mais jamais elle n'avait perçu tant de hargne dans sa voix. Elle s'approcha encore et se hissa sur la pointe des pieds pour jeter un œil par-dessus la haie qui bordait l'allée : là, le labyrinthe se terminait en impasse, ouvrant sur une clairière plantée de roses rouges.

Vêtu d'une blouse maculée de terre, Marcus se dressait près d'un banc vide.

Il paraissait totalement seul.

Les épaules courbées, le cheveu rare, il semblait plus chétif encore que la veille. Du géant qui l'intimidait enfant, il ne restait qu'un homme trop grand, comme encombré de son corps amaigri.

Eden se tenait-elle de l'autre côté de la haie qui fermait la clairière ? Helen se pencha discrètement… Non. Rien n'indiquait que Marcus ait de la compagnie. Même les oiseaux et les insectes semblaient avoir disparu.

Le vieil homme se tourna vers le massif de roses.

— Tu ne me fais pas peur, tu sais, déclara-t-il d'un ton presque courtois en caressant les pétales veloutés d'une fleur rouge sang.

Helen se raidit. Etait-ce à elle qu'il parlait ?

— Si je voulais, je pourrais te tordre le cou, continua-t-il. Comme ça.

Refermant les doigts sur la tige, il décapita la fleur d'un geste sec. Horrifiée, Helen dut retenir un cri. Puis, un sourire cruel aux lèvres, Marcus jeta la rose à terre et l'écrasa d'un coup de talon avec une sauvagerie délibérée.

La scène ressemblait à un meurtre.

Une lueur assassine brillait dans le regard de Marcus. Avec une détermination implacable, il continuait à s'acharner sur la fleur, qui gisait à ses pieds comme une flaque de soie rouge.

Helen s'affaissa sur elle-même.

Etait-ce ainsi que Marcus avait tué sa mère ?

La question l'atteignit comme une balle en plein cœur. C'en était trop… Hébétée par la violence du spectacle auquel elle venait d'assister, elle tourna les talons et s'enfuit en courant.

Pour s'arrêter presque aussitôt, prise de nausée. Hagarde, la nuque baignée de sueur, elle se courba en deux et vida son estomac d'une bile amère.

Elle se redressa, les yeux pleins de larmes, et s'engagea en chancelant sur le sentier qui partait à sa gauche. Tout ce qu'elle avait à faire, se répéta-t-elle, c'était de mettre un pied devant l'autre jusqu'à la maison. Là, elle pourrait s'allonger dans la fraîcheur bénie de l'air conditionné… Elle devait y arriver. Ce n'était pas compliqué — seulement très, très fatigant. Et la maison était si loin…

— Helen ?

Bram ? Etait-ce lui ? Il semblait si loin, lui aussi… Rassemblant ce qui lui restait d'énergie, elle tenta de se retourner pour l'apercevoir…

Et s'effondra dans ses bras.

— Helen ! cria-t-il, effaré.

Il lui agrippa fermement les épaules pour l'empêcher de tomber. Elle ferma les yeux, soulagée. C'était si bon de se reposer sur lui ! Mais il fallait qu'elle lui dise — il fallait qu'il sache ce que Marcus avait fait !

Crispant les doigts sur sa chemise, elle chercha son regard.

— Il l'a tuée, Bram. J'en suis sûre, maintenant !

Bram enlaça la jeune femme plus étroitement contre lui. Que lui arrivait-il ? Ses joues étaient rouges de fièvre, son front baigné de sueur… Une minute de plus sous cette chaleur, et elle allait se trouver mal ! Il la souleva dans ses bras et se dirigea à pas vifs vers la maison.

— Lâchez-moi, protesta-t-elle en se débattant faiblement. Ce n'est pas grave !

— Ça peut le devenir, répliqua-t-il d'un ton ferme. Cessez de gigoter. Vous n'êtes pas en état de marcher toute seule.

Déjà, ils approchaient de la cuisine. La gouvernante lui lança un regard noir quand il poussa la porte, et il se raidit, prêt à subir un sermon déplaisant… mais elle s'abstint de tout commentaire, se contentant de lui indiquer la voie à suivre.

— Deuxième porte sur votre droite, déclara-t-elle en pointant son couteau vers le couloir.

Bram obtempéra — et découvrit avec soulagement qu'elle l'avait guidé vers une chambre d'amis. Un grand lit trônait au milieu de la pièce, près d'un climatiseur qui tournait à plein régime.

— Jacob avait raison, murmura Helen. Vous ne m'avez pas laissée tomber.

Jacob ? Bram fronça les sourcils. Il ne voyait pas ce qu'elle voulait dire… mais il l'interrogerait plus tard. Pour l'heure, l'essentiel était de l'empêcher de s'endormir. Il la déposa doucement sur le lit et écarta les mèches trempées de sueur qui lui collaient aux joues.

— Helen ? Restez avec moi… Faites un effort !

Odette Norwhich fit irruption dans la pièce, un linge mouillé à la main.

— Alors ? La petite fait une insolation ? grommela-t-elle.

— J'en ai bien peur, acquiesça Bram.

— Mettez-lui ça sur le front, conseilla Mme Norwhich en lui tendant le linge. Ça devait arriver, vous savez… Elle est sortie en courant sans rien manger. Avec la chaleur qu'il fait, vous imaginez ! Je vais lui préparer un en-cas, ça devrait la remettre sur pied.

— C'est gentil. Pendant ce temps, je vais la mettre sous une douche froide. C'est le seul moyen de faire tomber sa température…

La gouvernante hocha la tête.

— Vous pouvez utiliser la salle de bains. Derrière cette porte, ajouta-t-elle en désignant la pièce en question d'un coup de menton.

Bram la remercia. Il fallait agir vite : les yeux fermés, Helen semblait respirer avec difficulté. Il glissa un bras sous sa taille pour l'entraîner vers la salle d'eau.

— M-malade, bredouilla-t-elle en grimaçant.

— Je sais. Vous vous sentirez mieux dans une minute.

Calant la jeune femme contre son épaule, il ouvrit en grand le robinet d'eau froide et ferma la bonde de la baignoire. Puis il souleva Helen et l'étendit contre la porcelaine blanche sans prendre le temps de la dévêtir.

— Qu'est-ce que vous faites ! s'écria-t-elle dans un sursaut. C'est froid !

— Je sais. C'est exprès… Vous avez une insolation, Helen. Il faut absolument faire baisser votre température.

Sourd à ses protestations, il l'aspergea d'eau glacée à l'aide du pommeau de douche. Elle se débattit encore, éclaboussant sa chemise… si bien qu'ils furent aussi mouillés l'un que l'autre, à la fin de l'opération.

Il entreprit alors de lui ôter ses vêtements dégoulinants d'eau.

— Il n'y a qu'un homme pour faire un truc pareil, maugréa-t-elle entre ses dents. Je suis à l'article de la mort, et vous ne pensez qu'à me déshabiller !

Ravi de la trouver si combative, avec un sens de l'humour intact, Bram lui offrit un sourire taquin.

— Exactement, reconnut-il en lui enlevant son T-shirt. Je ne pouvais tout de même pas laisser passer une occasion pareille !

Le vêtement atterrit au sol dans un grand claquement mouillé, et Bram reporta son regard sur Helen. La dentelle de son soutien-gorge ne laissait rien ignorer du galbe parfait de ses seins qui frissonnaient sous l'eau froide, appelant les caresses… Mais il s'interdit de céder à la tentation. Et baissa la main vers la braguette de son pantacourt.

Devinant son intention, elle lui tapa doucement sur les doigts.

— Laissez-moi faire !

— Et vous laisser ce plaisir ? répliqua-t-il. Pas question !

Elle ne résista pas longtemps. Quelques instants plus tard, son pantacourt rejoignait son T shirt sur le carrelage de la salle de bains. Bram sentit son souffle se bloquer dans sa gorge. Elle n'était plus vêtue que de son soutien-gorge et d'une culotte de coton blanc qui dévoilait plus qu'elle ne cachait sa splendide anatomie.

— Cessez de me regarder comme ça, murmura-t-elle avec un sourire langoureux. Vous allez me faire rougir.

Il détourna les yeux, vexé d'avoir été surpris à la contempler. Mais comment résister à un tel spectacle ? Son regard était plus vif, à présent ; ses joues avaient retrouvé leur carnation naturelle, et ses longs cheveux dénoués drapaient ses épaules nues comme une mantille de velours… Elle était la sensualité faite femme. Et son corps d'homme brûlait de la faire sienne.

Ce à quoi sa raison opposait son veto le plus strict.

— C'est vous qui me faites rougir, bougonna-t-il. Je sais parfaitement à quoi vous pensez… mais ce n'est ni le lieu ni l'heure pour ce genre d'activités. Vous ne voulez tout de même pas choquer cette pauvre Mme Norwhich ?

Elle haussa les épaules.

— Rien ne peut choquer une femme pareille. J'ai froid, ajouta-t-elle.

— Parfait. C'est le but du jeu.

— Et me faire mourir d'une pneumonie, ça fait partie du jeu ?

Elle était adorable.

— Il fallait que je fasse retomber votre température, Helen. Je n'avais pas le choix.

— Vous y êtes parvenu, non ? Est-ce que je peux sortir, maintenant ? J'ai déjà pris ma douche, moi !

Elle repoussa une mèche qui lui tombait dans les yeux.

— Avez-vous la moindre idée du temps qu'il faut pour faire sécher des cheveux pareils ? poursuivit-elle d'un ton accusateur.

— Arrêtez de vous plaindre. Vous pourriez être à l'hôpital à l'heure qu'il est.

— Ça m'étonnerait. Je ne suis pas restée dehors assez longtemps pour attraper une insolation, objecta-t-elle d'un air buté.

— Ah oui ? Votre corps en présentait tous les symptômes, pourtant.

— Je suis très fatiguée, c'est tout.

— J'avais remarqué.

Mme Norwhich réapparut, un pâle sourire sur ses lèvres minces.

— Faites-lui boire ça, ordonna-t-elle en tendant un grand verre de jus d'orange à Bram. Et qu'elle n'en laisse pas une goutte ! Elle a besoin de s'hydrater et de reprendre des forces, cette petite !

129

Elle déposa une pile de vêtements propres sur le bord du lavabo et quitta la pièce.

— Vous avez entendu ? dit Bram en donnant le verre à Helen.

— Je n'aime pas le jus d'orange.

— On dirait le fils de mon frère. Dois-je préciser qu'il a trois ans ?

— Je ne savais pas que vous aviez un frère.

— J'en ai trois. Buvez.

— J'imagine que vous êtes l'aîné, autoritaire comme vous êtes, marmonna-t-elle avant d'obtempérer.

Elle avala une petite gorgée, fit une grimace… et but le reste d'un trait.

— Je ne fais pas souvent l'enfant, vous savez. Seulement quand je suis malade.

Là, elle était carrément irrésistible. N'écoutant que son désir, il lui ôta le verre des mains et lui prit le menton entre le pouce et l'index, la forçant à lever les yeux vers lui.

— Vous n'êtes pas une enfant, objecta-t-il d'une voix qui tremblait un peu.

Il déposa un chaste baiser sur son front, espérant contenir son désir… mais elle réduisit ses espoirs à néant en effleurant son torse du bout des doigts. Le geste lui sembla d'autant plus érotique qu'il était relayé par l'invitation sans équivoque qui s'affichait dans ses yeux clairs.

— Arrêtez. Mme Norwhich peut revenir d'un instant à l'autre.

— Laissez cette femme tranquille. Et regardez-moi.

Il haussa les sourcils.

— Je vous regarde. Vous damneriez tous les saints du Paradis.

— Vraiment ? Et que faudrait-il pour *vous* damner ?

Cette fois, elle allait trop loin, décida-t-il en se redressant. S'il l'écoutait une seconde de plus, il ne répondrait plus de lui.

— Venez, dit-il en lui tendant la main. La recréation est finie.

Il l'aida à sortir de la baignoire et l'enveloppa dans une grande serviette de toilette.

— Habillez-vous, ordonna-t-il. Je vous laisse.

L'étonnement se lut sur son joli visage.

— Pourquoi ?

Il fit brutalement taire le désir qui rugissait dans ses veines.

— Parce que je ne suis pas un saint.

7.

Bram venait de regagner la chambre quand Mme Norwhich entra, pour lui remettre une chemise propre, cette fois.

— Tenez. La vôtre est trempée, n'est-ce pas ?

Il baissa les yeux vers sa chemise entrouverte : elle dégoulinait d'eau glacée.

— En effet, acquiesça-t-il, un peu gêné. Merci.

La gouvernante se contenta de hocher la tête, et sortit sans ajouter un mot. Avait-elle surpris la scène qui venait de se jouer dans la salle de bains ? Impossible de le savoir : sous son masque sévère, ses émotions demeuraient indéchiffrables.

Bram haussa les épaules. Que lui importait, après tout ? Il n'avait que faire de l'opinion d'autrui. Et ce qui se passait entre Helen et lui ne regardait qu'eux.

Il ferma la porte, puis troqua sa chemise mouillée contre celle que Mme Norwhich lui avait donnée : encore tiède et imprégnée d'un léger parfum de lavande, elle paraissait sortir du sèche-linge. Etait-ce une des chemises de Marcus ? se demanda-t-il, mal à l'aise.

« Il l'a tuée. J'en suis sûre, maintenant ! »

L'accusation qu'avait formulée Helen, juste avant de se trouver mal, lui revint en mémoire. Etait-ce Marcus qu'elle accusait ainsi ?

— Bram ? appela-t-elle depuis la salle de bains. Auriez-vous un peigne à me prêter ?

— Non. Désolé.

Poussant la porte, elle entra dans la chambre. Vêtue d'une robe de coton fleurie, les cheveux en bataille, elle était plus sexy que jamais.

— Ce n'est pas grave. Je me coifferai dans ma chambre.

Il la dévisagea avec attention. La séductrice qui avait tenté de l'enjôler dans la salle de bains avait disparu, remplacée par une version plus sérieuse d'elle-même. Une sourde inquiétude voilait son regard, comme si elle redoutait les heures à venir.

Le moment paraissait bien choisi pour l'interroger, décida-t-il.

— Helen… Que s'est-il passé dans le parc, tout à l'heure ? Vous sembliez bouleversée quand je vous ai trouvée.

Elle se laissa choir sur le lit.

— Franchement, je préférerais oublier ce que j'ai vu… Mais la scène est gravée dans ma mémoire. Mon père a tué cette rose comme il a tué ma mère.

Bram sentit sa gorge se nouer.

— Etes-vous en train de me dire que votre père… a tué votre mère ? s'enquit-il doucement.

— Oui. Leigh et moi en avons toujours été persuadées, mais nous n'avons jamais trouvé la moindre preuve contre lui.

— Je ne comprends pas…

Il hésitait à lui demander des explications, par peur de paraître indiscret. Mais elle lui offrit d'elle-même le récit de la disparition de sa mère — un drame qui avait fait la une des journaux locaux, à l'époque. Bram n'y avait prêté qu'une attention distraite alors, et c'était sans faire le moindre rapprochement avec cette histoire qu'il avait accepté l'offre de Marcus, quelques semaines auparavant. Mais il comprenait mieux, à présent. L'obsession quasi paranoïaque de son employeur pour les issues grillagées, le comportement étrange qu'adoptait parfois Helen, son aversion pour Eden et Marcus... Tout avait commencé sept ans plus tôt, quand Amy Thomas avait disparu sans laisser de traces.

Avait-elle pour autant été assassinée par son mari, comme Helen l'affirmait ? Cette pensée lui glaça les sangs. Et quand la jeune femme lui décrivit la scène à laquelle elle venait d'assister dans le jardin, il sentit une sourde appréhension le gagner.

— Vous pensez que...

Il ne put aller plus loin : Paula Kerstairs venait d'entrer dans la chambre. Un plateau-repas dans les mains, elle arborait un sourire mauvais. De là à penser qu'elle venait d'écouter leur conversation, l'oreille collée contre la porte... il y avait un pas que Bram franchit sans hésiter. Il se méfiait de cette femme comme de la peste.

— Je n'ai pas faim, avertit Helen.

Paula l'ignora avec un mépris évident, et se tourna vers lui.

— Vous êtes prié de la faire manger, déclara-t-elle. C'est Mme Norwhich qui l'a dit.

Elle posa le plateau sur le bord du lit et sortit en refermant la porte derrière elle.

Bram se tourna vers Helen.

— Mangez, suggéra-t-il. Mme Norwhich sera vexée si vous ne faites pas un effort.

Elle baissa les yeux vers l'omelette, la pile de toasts beurrés et le bol de soupe qui l'attendaient.

— Je n'y arriverai jamais, gémit-elle.

— Prenez un peu de tout, ça suffira.

Elle s'adossa contre la tête de lit avec un soupir.

— Puisque vous insistez...

134

Il l'aida à caler le plateau sur ses genoux, et lui tendit ses couverts. L'omelette sentait divinement bon et les toasts étaient grillés à point.

— Un peu d'eau, pour faire passer tout ça ? proposa-t-il en désignant la bouteille d'eau minérale que la gouvernante avait jointe au plateau.

— Oui, merci.

Elle avala une grande gorgée, avant de se décider à entamer son omelette... qu'elle engloutit en moins de temps qu'il ne fallait pour le dire.

— C'était délicieux, conclut-elle en reposant sa fourchette. Mme Norwhich avait raison : je me sens déjà mieux.

Il sourit. Ses joues avaient repris des couleurs, en effet. Mais son regard n'avait rien perdu de sa gravité.

Se sentant observée, elle leva les yeux vers lui.

— Je ne suis pas folle, vous savez, déclara-t-elle tout à trac.

Il la dévisagea avec stupeur.

— Bien sûr que non ! Pourquoi dites-vous ça ?

Elle porta une cuillère de soupe à ses lèvres, avant de répondre :

— Parce qu'hier soir, vous ne m'avez pas crue. Et que Jacob ne me croit pas non plus. Mais je sais ce que j'ai vu, et ce n'était pas un rêve, croyez-moi.

Elle avait sans doute raison. Toute la nuit, d'ailleurs, il avait regretté de ne pas lui avoir accordé plus de crédit lorsqu'elle lui avait raconté ses mésaventures.

Il s'apprêtait à lui confier ses remords, quand elle reprit la parole :

— Pourquoi avez-vous posé la photo de Leigh sur ma table de nuit, hier soir ?

Il fronça les sourcils.

— Quelle photo ? Celle que j'ai trouvée par terre, dans votre chambre ?

Ce fut au tour d'Helen de paraître surprise.

— Vous l'avez trouvée par terre ?

Il haussa les épaules.

— Oui. J'ai cru que vous l'aviez laissée tomber... Alors, je l'ai remise sur la table de nuit. Pourquoi ?

— Parce qu'elle n'y était plus quand je suis rentrée du restaurant.

L'appréhension qu'il avait réussi à juguler l'envahit de nouveau.

— Comment cela ?

— Je n'en sais pas plus que vous... La photo ne m'évoquait rien de précis. J'ai essayé d'appeler Leigh ce matin pour lui en parler. Mais elle était déjà sortie.

— Vous vous ressemblez beaucoup, remarqua-t-il. J'ai cru que c'était vous, sur cette photo.

— Oui. Pourtant, nous ne sommes pas de vraies jumelles.

Il esquissa un sourire taquin.

— Je préfère ça. Je n'aurais pas survécu à une seconde Helen...

Il s'interrompit : on frappait la porte.

— Oui ? lança Helen.

Paula Kerstairs poussa le battant.

— Votre sœur, au téléphone, bougonna-t-elle.

— Leigh ? s'exclama la jeune femme. Merci. Passez-moi l'appel dans le bureau.

Paula s'esquiva sur un hochement de tête. Rayonnante, Helen sauta à bas du lit.

— Excusez-moi, Bram. Je ne veux pas la faire attendre !

— Allez-y. Je dois retourner travailler, de toute façon.

Elle s'arrêta sur le seuil.

— Merci. Si vous n'aviez pas été là, tout à l'heure...

— De rien. A plus tard.

Elle avait déjà disparu. L'appel de sa sœur lui donnait des ailes, manifestement... Il emporta le plateau-repas et quitta la pièce à son tour. Il trouva Mme Norwhich dans la cuisine, un livre de recettes à la main.

— Laissez ça, dit-elle en le voyant poser le plateau près du lave-vaisselle. C'est à moi de le faire.

— Entendu. Merci pour le repas. Helen s'est régalée.

Si la gouvernante apprécia le compliment, elle n'en laissa rien paraître. Et replongea le nez dans son livre sans faire le moindre commentaire.

Un peu dépité, Bram sortit dans le parc. Adossé au capot d'une voiture de sport garée au beau milieu de l'allée, Jacob lui lança un regard noir — que Bram se fit un plaisir de lui retourner. A quoi bon jouer la comédie ? Ils ne s'aimaient guère, tous les deux. Question de rivalité masculine, sans doute...

Comme il se penchait pour ramasser ses outils, abandonnés en vrac sur le perron, un mouvement attira son regard. Au bout de l'aile est, un observateur indiscret venait de laisser retomber un rideau.

Paula, Eden ou Marcus ?

A moins que quelqu'un d'autre ne hante les lieux...

— Leigh ?

— Helen ? C'est toi ?

Elle sourit, ravie. La voix tendre et familière de sa sœur l'emplissait de joie.

— Oui, c'est moi ! Je te croyais à Cambridge... La visite ne t'a pas plu ?

— Au contraire : c'est magnifique ! Mais nous avons essuyé une averse, ce matin… J'ai insisté auprès de Kate pour revenir me changer. J'étais trempée de la tête aux pieds ! Et toi… tout va bien ?

— Bien sûr, mentit Helen. Je voulais avoir de tes nouvelles, c'est tout.

— Ah ? C'est gentil. Mais je t'entends mal. Et toi, tu m'entends ?

— Très bien.

— Bon… Ça doit être de mon côté de la ligne, alors. Alors, quoi de neuf, à Blackrose ?

— Eh bien… Connais-tu un certain Bram Myers ?

Un bref silence s'installa sur la ligne, puis Leigh répondit :

— Non, ça ne me dit rien. Pourquoi ? Il est mignon ?

Helen rougit malgré elle. Bram était sensuel, viril, sexy… mais *mignon* ? Certainement pas !

— Ce n'est pas l'adjectif que j'emploierais pour le décrire, répondit-elle évasivement.

Trop évasivement au goût de Leigh, qui s'alarma aussitôt :

— Helen ? Tu as l'air bizarre… C'est qui, ce type ?

— Oh, c'est… c'est un des employés de Marcus. Il est forgeron dans la région. Il a installé le nouveau portail. C'est superbe !

— Mais… ? insista Leigh.

— Il n'y a pas de « mais ». Je me demandais si tu le connaissais, c'est tout.

— Zut… je t'entends de plus en plus mal ! Tu disais qu'il travaille pour Marcus ?

— Oui. Il… Il installe des barreaux aux fenêtres, avoua-t-elle enfin, la gorge nouée.

138

— Marcus fait *barricader* la maison ? s'exclama Leigh, incrédule.

Helen se mordit la lèvre, regrettant déjà son aveu.

— Ce n'est pas tout à fait une barricade, tempéra-t-elle, mais...

— Qu'est-ce que c'est que cette histoire ? interrompit Leigh. Si tu as besoin de moi, je prends le premier avion.

— Bien sûr que non... Tout va bien, je t'assure, affirmat-elle d'un ton qu'elle espérait convaincant. Tu me manques beaucoup... mais je survivrai, ne t'inquiète pas !

— Tu me manques aussi. J'aurai une tonne de photos à te montrer !

— Génial ! A propos... je suis tombée sur une vieille photo de toi, hier soir, et...

— Helen ? Tu es toujours là ?

— Oui. Je t'entends très bien.

— Helen ? Tu m'entends ? Zut ! Ça grésille de plus en plus... Je n'entends plus rien, maintenant ! Ecoute, je vais raccrocher, d'accord ? Kate m'attend. Je te rappellerai ce soir, la connexion sera peut-être meilleure. Je t'embrasse très fort. A tout à l'heure.

— A tout à l'heure, répéta Helen d'une voix tremblante.

Elle raccrocha, le cœur serré. Elle se sentait si seule, tout à coup !

— C'était ta sœur ?

Elle fit volte-face. Jacob se tenait sur le seuil de la pièce.

— Oui, répliqua-t-elle sèchement.

Il eut un mouvement de recul.

— Je te dérange, peut-être ? Tu n'as pas l'air bien...

Elle l'avait blessé, comprit-elle. Mais pourquoi avait-il surgi sans prévenir ?

— Ce n'est rien. Leigh me manque, et nous avons été coupées. Maintenant, si tu veux bien m'excuser...

Elle fit mine de sortir, mais il la retint d'un geste.

— Attends ! Je voulais te parler, en fait.

— Ce n'est pas le moment, Jacob.

— Je t'en prie… C'est important.

Acquiesçant à contrecœur, elle se laissa tomber dans un fauteuil tandis que Jacob prenait place en face d'elle, sur la chauffeuse en velours élimé qu'affectionnait Dennison.

— Je t'écoute, dit-elle.

— C'est… c'est à propos de Bram Myers. Je me mêle sans doute de ce qui ne me regarde pas, mais… je viens de le voir sortir de la maison.

— Et alors ? répliqua-t-elle sans déguiser son agacement. Je l'ai rencontré dans le jardin, et nous sommes rentrés à l'intérieur pour discuter. Il faisait trop chaud pour rester dehors.

— Ah bon ? A-t-il mentionné sa femme pendant votre « discussion » ?

Sa *femme* ? Bram était marié ?

Il lui avait affirmé le contraire, pourtant. Lui avait-il menti ?

La stupeur dut se lire sur son visage, car Jacob reprit d'un ton presque victorieux, à présent :

— Il ne t'a rien dit, n'est-ce pas ? J'en étais sûr ! Je suis allé en ville ce matin, et j'ai posé quelques questions à son sujet… J'avais envie d'en savoir plus, tu comprends. Maman m'a approuvé, d'ailleurs.

— Et qu'as-tu découvert, au juste ? s'enquit Helen avec un sourire forcé.

Jacob était indiscret, certes… mais au moins agissait-il avec les meilleures intentions du monde — ce qui n'était pas le cas du reste de la famille.

Il haussa les sourcils, manifestement surpris de la trouver si conciliante.

— Eh… Tu ne m'en veux pas, alors ? J'avais tellement peur que tu sois fâchée, que tu me reproches de me mêler de tes affaires… Mais ce type m'a déplu dès le début et… je n'aime pas la façon dont il se comporte avec toi. Alors, quand j'ai découvert…

— Qu'il était marié…, compléta Helen d'un ton morne.

Une étrange torpeur s'emparait d'elle. Ses émotions, si intenses un instant plus tôt, l'avaient abandonnée, la laissant étrangement vidée. Nul doute qu'elles reviendraient la hanter ; mais pour l'heure, elle se sentait prête à entendre les révélations de Jacob.

Dont la liste était longue, apparemment.

— … J'ai compris que j'avais eu raison de mener ma petite enquête, acheva le jeune homme avec satisfaction. D'autant que ton ami n'a pas épousé n'importe qui : sa femme était une Pepperton, figure-toi !

Bram avait convolé avec une riche héritière, conclut-elle en se remémorant la fortune dont disposaient ces membres éminents de l'élite locale — célèbres sur toute la côte Est pour leur écurie de pur-sang.

Mais ce n'était pas tant le nom de la mariée qui avait retenu son attention que la façon dont Jacob y avait fait référence.

— Sa femme *était* une Pepperton ? répéta-t-elle, troublée.

— Elle est morte. Son bébé aussi.

Helen ne cria pas. Tout juste sentit-elle un léger tremblement gagner sa main droite, qu'elle crispa sur l'accoudoir du fauteuil.

Bram ne lui avait pas menti. Mais il avait été mari *et* père… Cela semblait si difficile à croire !

— Selon mes sources, continua Jacob, Jane, la femme de Bram, s'était installée à l'Auberge de Stony Ridge quelques jours avant la fin de sa grossesse. Accompagnée d'une cousine, elle a pris rendez-vous avec un obstétricien des environs.

— Marcus ? lâcha Helen dans un murmure.

— Personne n'a pu me le confirmer, mais ce ne serait pas étonnant. C'était le seul gynécologue à dix kilomètres à la ronde… et ça expliquerait les rumeurs qui circulent sur son compte. Enfin… tu sais de quoi je parle, n'est-ce pas ?

Il s'était fait hésitant, tout à coup. Helen retint un soupir. Quelle autre révélation allait-il sortir de son chapeau ?

— Non : je n'ai jamais prêté attention aux rumeurs… Mais rien de ce qui concerne Marcus ne peut me surprendre, ajouta-t-elle d'un ton qui se voulait rassurant.

— Puisque tu le dis… Voilà : Marcus a mauvaise réputation, dans la région. Il paraît qu'il a perdu plus d'un bébé en couches. Des accidents, bien sûr… mais, manifestement, le pire aurait pu être évité.

— Es-tu en train de me dire que Marcus a causé la mort de la femme et du bébé de Bram ? souffla Helen, horrifiée.

— Bien sûr que non ! Jane Myers a accouché à l'hôpital, dans des conditions normales. Les gens du village faisaient plutôt référence aux accouchements que Marcus aurait pratiqués au domicile de ses patientes, et qui auraient tourné au drame… Je ne sais pas s'ils ont raison, Helen, mais une chose est sûre : ton père n'est pas en odeur de sainteté par ici. A les entendre, c'est un mauvais médecin, sorti bon dernier de la faculté… qui n'a jamais réussi à soigner qui que ce soit. Si c'est vrai, j'imagine qu'il est incapable de gérer un accouchement difficile. Or, la femme de Bram présentait toutes les complications possibles. Après des heures de travail, ils ont dû pratiquer une césarienne en urgence. L'intervention a été mal faite, elle a perdu beaucoup de sang… et elle est morte dans la soirée.

Un frisson s'était emparé d'Helen, qui tremblait de la tête aux pieds.

— Bram n'était pas avec elle ? s'enquit-elle du bout des lèvres.

Jacob secoua la tête.

— Il est arrivé trop tard... La nouvelle l'a rendu fou. Il était tellement hors de lui qu'il a fallu cinq hommes pour le maîtriser.

— Et l'enfant ?

— Elle est morte trois jours plus tard. Bram ne l'a pas quittée un instant. Il veillait sur elle nuit et jour... Quand son cœur a fini par lâcher, le personnel a craint le pire. Mais Bram n'a rien dit. Il a gardé le bébé dans ses bras jusqu'à l'arrivée des pompes funèbres, puis il s'est levé et il est parti sans un mot. Personne ne l'a jamais revu... jusqu'à ce qu'il vienne travailler ici, le mois dernier. Avoue que c'est bizarre, tout de même !

Elle ne répondit pas. Son esprit était tout entier tourné vers la scène que Jacob venait de lui dépeindre : Bram, berçant le corps sans vie de sa fille, trois jours après la disparition de sa femme... Un froid glacé lui serra le cœur. Quelles terribles souffrances avait-il endurées, alors ?

— Je n'aurais jamais deviné qu'un drame pareil lui était arrivé, murmura-t-elle pour elle-même.

— Oui, c'est affreux, acquiesça Jacob d'un air absent. Mais tout n'est pas clair, dans cette histoire.

— Comment cela ?

Il parut hésiter.

— Tu veux vraiment le savoir ?

Elle le gratifia d'une œillade irritée, qui balaya ses — faibles — résistances.

— Bon... Le couple de Bram et de Jane n'était pas très solide, apparemment. La jeune femme s'était enfuie avec lui contre l'avis de ses parents, et ils s'étaient installés à New York. Mais leur différence d'âge et de milieu social avait fini par avoir raison de leur amour... Il faut dire qu'elle n'avait que dix-huit ans, à l'époque ! Si j'ai bien compris, il n'est même pas sûr qu'elle ait voulu garder le bébé. Certains de mes informateurs prétendent qu'elle avait peur de Myers — ce qui expliquerait son arrivée à Stony Ridge, enceinte jusqu'aux yeux. Elle aurait voulu lui échapper en s'installant à l'hôtel sous la protection d'une cousine, tu comprends ?

Helen serra ses mains l'une contre l'autre pour les empêcher de trembler.

— Mais ce qui a le plus marqué les esprits dans cette histoire, c'est que personne n'a porté plainte, affirma Jacob. Ni Bram ni les Pepperton. Apparemment, la famille de Jane a reporté la faute sur Bram au lieu d'accuser l'équipe médicale... Chester Pepperton a même fait un scandale à l'hôpital le soir de la mort de sa sœur. Il menaçait de tuer Bram pour la venger... Les types de la sécurité ont été obligés de le jeter dehors.

Il marqua une pause, le temps de lancer un regard soucieux à Helen.

— Si je te raconte tout ça, c'est parce que je m'inquiète pour toi. Rien ne prouve que ce soit bien Marcus qui ait accouché la femme de Bram, mais... depuis que j'ai entendu cette histoire, je ne cesse de me poser des questions. Les coïncidences sont troublantes, tout de même...

Helen fronça les sourcils.

— Que veux-tu dire, exactement ?

Jacob lui offrit un sourire embarrassé.

— Eh bien, je me demande si... Bram n'est pas revenu pour se venger. C'est pour ça que tu dois faire attention : il essaie peut-être de te séduire pour atteindre Marcus !

Le souffle court, la jeune femme s'agrippa plus fermement aux bras du fauteuil.

— Helen ? Je n'aurais peut-être pas dû t'en parler... Tu as l'air bouleversée, remarqua Jacob d'un ton alarmé.

Bouleversée ? Anéantie, plutôt. Mais ce n'était pas la faute de Jacob si elle était tombée sous le charme d'un homme probablement en quête de vengeance contre un père qu'elle détestait. L'ironie de la situation était accablante.

— Oui, je suis sous le choc, admit-elle. Mais je ne t'en veux pas. Tu as bien fait de m'en parler. Sais-tu à quand remonte le drame ?

— A une dizaine d'années, je crois.

Elle secoua la tête, incrédule.

— Dix ans ? Personne n'attend si longtemps pour se venger...

— Détrompe-toi. Certaines personnes sont capables de planifier leur vengeance pendant des années.

Elle haussa les épaules.

— Seulement dans les films, Jacob.

Malgré les dénégations qu'elle lui opposait, son interlocuteur avait semé le doute dans son esprit. Bram était réfléchi, méticuleux... tout à fait le genre d'homme capable d'organiser une vengeance de ce type. Avait-il pour autant attendu dix ans pour venger la mort de sa femme et de sa fille ?

Impossible. Elle n'y croyait pas. Parce que tout en elle faisait confiance à cet homme. Et que c'était elle qui s'était jetée dans les bras du forgeron, pas l'inverse.

— Bram n'est pas venu ici pour se venger, assena-t-elle d'un ton ferme.

Jacob se pencha vers elle.

— Bon sang, Helen... Tu prends systématiquement sa défense ! Ce type ne te le rendra pas, crois-moi... Il te fera du mal, si tu n'y prends pas garde.

— Il ne m'arrivera rien, je t'assure.

Un léger craquement la fit sursauter. Elle leva les yeux... et distingua la maigre silhouette de Paula Kerstairs dans la pénombre.

— Que faites-vous là ? s'écria-t-elle, saisie d'effroi.

Jacob se retourna vivement.

— Sa mère le demande, répondit Paula en désignant le jeune homme d'un signe de tête.

Avant de disparaître aussi silencieusement qu'elle était entrée.

— De pire en pire, celle-là ! maugréa Jacob. Un vrai spectre...

— Je suis d'accord avec toi, acquiesça Helen en frissonnant. Bon... Tu ferais mieux d'aller rejoindre Eden.

— Oui. Tu ne m'en veux vraiment pas ? ajouta-t-il d'un air inquiet.

— Pas du tout.

— Tout va bien, alors ?

— A merveille, mentit-elle.

D'inquiète, l'expression de Jacob se fit... enjôleuse.

— C'est toi qui es merveilleuse, rectifia-t-il d'une voix rauque. Tu es si belle, Helen... A plus tard.

— C'est ça, murmura-t-elle, mal à l'aise. A plus tard.

Le plus tard possible, ajouta-t-elle intérieurement en le regardant quitter la pièce. Jamais il ne l'avait regardée ainsi. Avec une étincelle de désir au fond des yeux.

Non. Elle se trompait, elle se trompait forcément ! Jacob et elle avaient toujours entretenu des rapports fraternels. Il ne lui avait jamais témoigné le moindre intérêt... sentimental.

Sauf la veille, quand il lui avait caressé la joue.

Et que dire de son hostilité envers Bram ? N'était-ce pas la preuve qu'il éprouvait pour elle des sentiments amoureux ? Oui, il se comportait en amant jaloux, dénigrant son rival par tous les moyens possibles… Allant jusqu'à la mettre en garde contre d'éventuels projets de vengeance de Bram !

Là, elle ne le suivait plus. Certes, Jacob n'avait pas inventé le drame qu'il venait de lui conter. Mais elle ne pouvait se résoudre à voir en Bram un être froid et calculateur, assoiffé de vengeance.

Le mieux à faire, décida-t-elle, était d'en parler à Bram lui-même. Si Marcus avait été l'obstétricien de sa femme, il finirait bien par le lui avouer, non ?

Mais avant cela, elle avait une tâche encore plus urgente à accomplir : retrouver les coordonnées du notaire de son grand-père. Elle saisit l'annuaire qui se trouvait sur une étagère à l'autre bout de la pièce, et le posa sur le bureau. Les pages consacrées à Stony Ridge se révélèrent plus nombreuses que prévu. Quant aux notaires, ils comptaient une dizaine d'études dans la petite bourgade ! Réprimant le découragement qui l'envahissait, Helen passa leurs noms en revue, de A comme « Anderson et associés » à T comme « Trévor et fils »… en passant par R comme « Rosencroft, étude notariale ». Un sourire plissa ses lèvres. *Maître Ira Rosencroft…* C'était lui qui avait signé la convocation reçue à Boston la semaine précédente !

S'emparant d'un stylo, elle tendit machinalement la main vers le tiroir du bureau — celui où son grand-père rangeait ses bloc-notes. Une exclamation de surprise lui échappa : le désordre le plus complet régnait dans le tiroir à papeterie. Enveloppes froissées, stylos sans capuchons, trombones sortis de leur boîte… rien n'était à sa place. Quant aux bloc-notes, ils avaient purement et simplement disparu.

Qui avait pu se livrer à un tel saccage ? se demanda-t-elle, choquée. Eden et Marcus s'étaient toujours montrés si ordonnés… Comment expliquer une telle désinvolture ?

Elle secoua la tête. Un mystère de plus à élucider ! En attendant, il fallait bien qu'elle note les coordonnées de Me Rosencroft quelque part... Une vieille enveloppe ferait l'affaire, décida-t-elle en jetant son dévolu sur l'une d'elles.

Comme elle refermait les doigts sur le papier blanc, un document cartonné s'en échappa : une photographie. Intriguée, elle la retourna... et laissa échapper un halètement de stupeur.

C'était une autre photo de Leigh !

Nettement plus récente que la précédente, constata-t-elle en reconnaissant le visage de sa sœur. A un détail près : Leigh n'avait pas — et n'avait jamais eu — les cheveux si courts. C'était joli, certes... mais ce n'était pas coiffée ainsi qu'elle avait quitté Boston la semaine précédente.

S'était-elle fait couper les cheveux en Angleterre ?

Helen examina le cliché plus attentivement. Assise à la terrasse d'un café, Leigh souriait à un homme qui tournait le dos à l'objectif. Derrière elle se dressait un bâtiment familier. Une banque devant laquelle Helen était passée des centaines de fois... à New York, comprit-elle soudain. Oui, elle reconnaissait très bien l'endroit, à présent : c'était un petit café d'angle, où sa sœur et elle aimaient s'arrêter lors de leurs visites à Manhattan. La façade de la banque disparaissait sous un grand panneau publicitaire équipé d'un écran où s'affichaient la date, l'heure et la température extérieure.

La date était donc parfaitement lisible sur la photographie. Helen se pencha encore, plissant les yeux...

— Impossible, marmonna-t-elle, prise de vertige.

Le cliché avait été pris deux jours plus tôt.

8.

« Ce n'est donc pas une photo de Leigh », décida Helen en se redressant. Cette dernière était en Angleterre, pas à New York.

N'est-ce pas ?

Bien sûr que oui ! s'insurgea-t-elle, repoussant fermement le doute qui s'insinuait dans son esprit. Elle avait conduit sa sœur à l'aéroport la semaine précédente. Certes, elle n'avait pas *vu* Leigh embarquer dans l'avion, mais… elles n'avaient aucun secret l'une pour l'autre. Pourquoi Leigh lui aurait-elle menti ?

Des larmes de confusion lui montèrent aux yeux. Le monde semblait basculer autour d'elle. Si elle ne pouvait même plus croire sa sœur jumelle… Vers qui se tourner, désormais ?

Bram ? Tout en elle brûlait de lui faire confiance. Mais il lui avait caché une partie de la vérité, lui aussi.

Jacob ? D'ami fidèle, il s'était mué en admirateur jaloux et empressé. Difficile de lui faire confiance, à présent… Quant à Eden, elle n'avait jamais caché son aversion à son égard. Mme Walsh et Kathy, ses seules vraies amies à Blackrose, avaient démissionné ; leurs remplaçantes lui étaient ouvertement hostiles. Restait Marcus…

Elle haussa les épaules. De tous les occupants du domaine, son

149

père était sans doute celui qui la détestait le plus. N'avait-il pas passé vingt-quatre années à les mépriser, Leigh et elle ?

Submergée de désespoir, elle enfouit sa tête au creux de ses bras.

— Je deviens folle, murmura-t-elle pour elle-même.

— Je ne pense pas, répondit une voix dans son dos.

Elle se redressa, écrasant d'une main tremblante les larmes qui avaient roulé sur ses joues. Bram se dressait dans l'embrasure de la porte.

— Que se passe-t-il ? s'enquit-il d'un air soucieux. Votre sœur ne va pas bien ?

— Je vous croyais parti.

— Je suis revenu, dit-il en s'avançant dans la pièce. Que se passe-t-il, Helen ?

Trop émue pour s'expliquer, elle fit glisser la photographie vers lui. Il s'assit en face d'elle, de l'autre côté du bureau de son grand-père.

— C'est Leigh, n'est-ce pas ? devina-t-il en examinant le cliché. Où est le problème ? Vous n'aimez pas le type avec qui elle est ?

— Je ne connais pas ce type. Et apparemment, je ne connais pas ma sœur non plus. Elle est censée être à Londres, pas à New York. Je viens juste de lui parler. Elle est ravie de son séjour.

Bram fronça les sourcils.

— Qu'est-ce qui vous tracasse, alors ?

— *Ça*, dit-elle en pointant le doigt sur la date qui s'affichait à l'arrière-plan.

Bram se pencha sur l'image, l'air intrigué. Et se redressa presque aussitôt, l'air plus soucieux encore.

— Comment savez-vous que cette photo n'a pas été prise à Londres ? Des cafés comme ça, il y en a partout !

— Sans doute. Mais comment expliquez-vous qu'une photo prise avant-hier à Londres ait atterri aujourd'hui dans le tiroir de ce bureau ? Et de toute façon, je reconnais ce café : il se trouve à Manhattan, près de Times Squarc. Leigh et moi y avons déjeuné des dizaines de fois.

Bram la dévisagea pensivement, puis il se tourna vers l'ordinateur installé dans un angle de la pièce.

— Est-ce qu'il fonctionne ?

Elle suivit son regard. Dennison, grand amateur de technologie moderne, avait consacré les dernières années de sa vie à l'informatique. Passionné par le sujet, il s'était équipé avec soin et avait passé des journées entières assis derrière l'écran. Si Helen s'était montrée rétive à ses explications, Leigh avait vite partagé son enthousiasme. C'était elle qui avait insisté pour conserver l'équipement de Dennison après sa mort… à la plus grande joie de Jacob, qui l'avait modernisé et l'utilisait à chacune de ses visites.

Sans attendre sa réponse, Bram se leva pour allumer la machine.

— Qu'est-ce que vous faites ? marmonna-t-elle.

— Vous allez comprendre…

Elle le rejoignit à contrecœur.

— Vous vous y connaissez, en informatique ? s'enquit-elle comme il prenait place derrière l'ordinateur.

— Ce n'est pas compliqué, vous savez… Et pour un artisan comme moi, c'est un excellent moyen de se faire connaître. Depuis que j'ai créé un site Internet pour présenter mon travail, le nombre de mes commandes a été multiplié par trois. C'est comme ça que votre père m'a trouvé, d'ailleurs…

Elle écarquilla les yeux. Difficile d'imaginer Marcus surfant sur la toile à la recherche d'un forgeron…

— Ne faites pas cette tête, reprit-il, amusé. Aujourd'hui, tout le monde sait se servir d'un modem.

— Tout le monde, sauf moi, bougonna-t-elle en le regardant pianoter sur le clavier avec dextérité.

Il avait ouvert plusieurs programmes à la fois, et jonglait de l'un à l'autre avec une rapidité qui ne laissait aucun doute sur l'étendue de ses connaissances informatiques.

— Vous êtes bien équipés, remarqua-t-il en désignant le scanner et l'imprimante couleur qui jouxtaient l'unité centrale.

— Je suppose que oui. Eden et Jacob en sont assez fiers… mais je ne me suis jamais vraiment intéressée à la question.

— J'avais deviné, confia-t-il gentiment. Bon… Regardez bien, ajouta-t-il. Je vais vous montrer comment Leigh peut se trouver simultanément à Londres et à New York.

Il plaça la photo sur la vitre du scanner, avant de préciser :

— Si j'avais le temps, je chercherais l'image dans le disque dur. Elle doit forcément s'y trouver… mais nous irons plus vite en la numérisant.

— Je ne comprends pas.

— Attendez.

L'image scannée s'affichait maintenant sur l'écran. Bram positionna le pointeur de la souris sur la date qui s'affichait dans le dos de Leigh.

— Quel jour vous plairait ? demanda-t-il alors.

Elle lui lança un regard perplexe. Soit elle était victime d'un gros coup de fatigue, soit Bram s'était mis à parler chinois… car elle ne comprenait strictement rien à sa question.

— Que diriez-vous de demain ? suggéra-t-il comme elle ne répondait pas.

Il ne lui fallut que quelques secondes pour modifier la date inscrite sur la photo. Helen ouvrit des yeux ronds : modifier une image était donc aussi simple que cela ?

152

Une minute plus tard, la réplique de la photo émergeait de l'imprimante couleur. Hormis la date, elle était strictement identique à celle qu'Helen avait trouvée dans le tiroir du bureau un quart d'heure plus tôt.

— Vous comprenez, à présent ? interrogea Bram. La photo que vous m'avez montrée a été trafiquée en utilisant la même technique, c'est évident.

Elle hocha lentement la tête. Oui, elle comprenait... mais elle n'était pas plus rassurée pour autant.

— Et la coiffure de Leigh ? Pensez-vous qu'ils l'aient modifiée aussi ? remarqua-t-elle en réprimant un frisson.

Bram lui décocha un regard interrogateur.

— Pourquoi ? Votre sœur n'est pas coiffée comme sur la photo ?

— Non. Elle a les cheveux mi-longs — à moins qu'elle ne soit allée chez le coiffeur depuis la semaine dernière.

Bram secoua la tête.

— Je crois plutôt que le coiffeur informatique s'en est chargé pour elle... Restez là. Je vais vous montrer.

Il lança une recherche sur l'ordinateur, et localisa ainsi un petit fichier baptisé « Helen », qu'il ouvrit d'un clic de souris. La jeune femme reconnut aussitôt la photo que Jacob avait prise le soir de son anniversaire, l'hiver précédent. Leigh, elle et lui s'étaient retrouvés dans un restaurant de New York pour l'occasion, et Jacob avait étrenné son nouvel appareil numérique en les mitraillant tout au long du repas. Par bonheur, il n'avait conservé que la meilleure image... C'était sur celle-ci que Bram travaillait, à présent. Zoomant sur ses cheveux, il les effaça d'un coup de curseur, pour les remplacer par une coupe plus courte, identique à celle de Leigh sur la photo.

— Voilà, conclut-il. Le résultat n'est pas parfait, mais il le serait si je prenais le temps d'affiner l'image. Au final, vous n'y verriez que du feu... exactement comme tout à l'heure, quand vous avez trouvé la photo dans l'enveloppe.

Les yeux rivés sur l'écran, elle sentit une sourde angoisse s'emparer d'elle.

— Qui peut bien avoir fait une chose pareille ? murmura-t-elle.

— C'est la question que je me pose, renchérit-il. Qui sait se servir d'un ordinateur, ici ?

Elle lâcha un soupir désabusé.

— Jacob, Eden, Marcus... C'est à la portée de tout le monde, vous l'avez dit vous-même ! Mais pourquoi auraient-ils fait une chose pareille ? Ça n'a pas de sens !

— Si, objecta-t-il avec gravité. Cela alimente la guerre des nerfs qu'ils ont lancée contre vous...

Portant nerveusement une main à ses cheveux, elle fut surprise de les trouver encore humides. L'épisode de la matinée — son malaise dans le labyrinthe, la douche froide que Bram lui avait administrée — lui semblait si loin à présent !

Sa conversation avec Jacob, en revanche, revenait en boucle dans son esprit. Etait-ce le bon moment pour en parler à Bram ?

— Quand vous tortillez vos cheveux comme ça, c'est que vous avez une idée derrière la tête, remarqua-t-il. Je me trompe ?

Elle se mordit la lèvre, hésitant encore... puis décida de se jeter à l'eau.

— Avez-vous été marié ?

Il tressaillit, visiblement surpris. Puis une lueur d'amertume dansa dans ses yeux sombres.

— Est-ce Jacob qui vous a mise sur la voie ?

Comme elle hochait la tête, il précisa :

— Ma femme est morte il y a dix ans.

— En couches ?

154

Leurs regards se rivèrent l'un à l'autre. Une douleur insondable assombrissait celui de Bram — une douleur qu'Helen ressentit aussi vivement que si elle avait été sienne.

— Tout à fait, dit-il. J'imagine que Jacob vous a également informée de la mort de ma fille ?

Il s'exprimait d'un ton détaché, comme s'il s'agissait d'un dossier administratif… mais elle n'était pas dupe. L'homme qui se tenait devant elle n'avait pas fait son deuil. Et ne le ferait peut-être jamais.

— Oui, il m'en a parlé, admit-elle. Je suis profondément désolée.

— Moi aussi.

— Bram… Est-ce Marcus qui a supervisé l'accouchement de votre femme ? s'enquit-elle, le cœur battant.

Il la dévisagea avec une intensité troublante.

— Que vous a raconté Jacob, au juste ?

Bien que gênée, elle fit l'effort de ne pas détourner les yeux.

— Jacob m'a dit que vous avez épousé la fille des Pepperton, et que vous êtes parti vivre avec elle à New York. Quelques mois plus tard, votre femme est arrivée à Stony Ridge, seule et enceinte. Elle s'est installée à l'Auberge avec une cousine, et elle a pris rendez-vous avec un gynécologue des environs. C'est lui qui a procédé à l'accouchement lorsqu'elle a été transportée à la maternité. Là… les choses se sont mal passées, et votre femme a souffert d'une terrible hémorragie. Jacob n'a pas su me dire si Marcus était ce médecin. C'est pour cela que je vous pose la question, Bram. J'ai besoin de savoir.

Il serra les dents.

— C'est très louable de votre part, Helen… mais ôtez-moi d'un doute : votre cher Jacob ne vous a tout de même pas convaincue que je suis un maniaque décidé à venger ma femme et ma fille dix ans après leur mort ?

— Je... Non, bien sûr que non, protesta-t-elle faiblement.

— Vraiment ? L'idée ne vous a même pas traversé l'esprit, alors ? interrogea-t-il avec un cynisme rageur. Vous n'avez accordé *aucun* crédit à ces théories fumeuses ?

Elle se tordit les mains.

— Je vous assure que non, répéta-t-elle avec plus de fermeté. Jacob a effectivement mentionné cette idée... mais j'ai refusé de le croire.

— Et vous avez bien fait, souligna-t-il. Parce que je ne suis pas un homme assoiffé de vengeance, vous entendez ?

— Je sais, Bram.

— Voulez-vous savoir pourquoi ma femme est venue ici au lieu de rester avec moi à New York ? reprit-il comme s'il ne l'avait pas entendue.

— Vous ne me devez aucune explication.

— Jane est venue accoucher ici parce qu'elle voulait me donner une leçon. Je travaillais tellement que je passais des journées sans la voir... Je m'épuisais à lui offrir le luxe auquel elle était habituée. Je croyais bien faire, mais elle avait le sentiment que je l'avais abandonnée à elle-même.

Il ferma brièvement les yeux, avant de poursuivre :

— Alors elle est morte loin de moi, entre les mains d'un médecin incompétent qui avait négligé de consulter son dossier médical. J'ai voulu me venger, bien sûr... mais savez-vous ce que j'ai découvert ?

Elle secoua la tête, trop émue pour énoncer un mot.

— J'ai découvert qu'il est très complexe de se venger de soi-même. Ce n'est pas facile de boire à en mourir, vous savez ! J'ai essayé pendant plus de quatre ans...

— Je vous en prie, interrompit-elle, la mort dans l'âme. Je ne veux pas le savoir.

156

— Peu m'importe ce que vous voulez, répliqua-t-il brutalement. Je vous donne *ma* version des faits pour que vous puissiez la comparer à celle que des tas de personnes bien intentionnées ne manqueront pas de vous fournir.

— Arrêtez !

— Ce n'est pas votre père qui a accouché Helen. C'était un obstétricien proche de la retraite, dont j'ai oublié le nom. Mais l'important n'est pas là, Helen. L'important, c'est... ma fille. Ma petite fille trop épuisée pour vivre. J'ai prié, moi qui n'ai jamais été croyant, j'ai prié pour qu'elle reste avec moi... Mais elle n'avait plus la force de respirer. Je suis resté près d'elle jusqu'à la fin, j'essayais de lui murmurer des mots doux à l'oreille, de faire comme s'il n'y avait pas tous ces tubes, toutes ces machines entre nous... Je l'ai regardée lutter pour respirer jusqu'à... jusqu'à ce qu'elle ne puisse plus lutter. Je ne me le pardonnerai jamais, acheva-t-il en secouant la tête.

Helen écrasa les larmes qui perlaient à ses paupières.

— L'heure est peut-être venue de vous pardonner, au contraire.

Il lui lança un regard dur.

— Jamais, répéta-t-il, avant de quitter la pièce.

Muette de douleur, elle le regarda s'éloigner. Et fondit en larmes dès que la porte se fut refermée sur lui. Elle était tombée amoureuse d'un père de famille trop tôt privé des siens. Un homme fier et brisé, qui avait fermé son cœur à l'amour.

Helen se réveilla en sursaut, la gorge sèche et la tête lourde. Elle se redressa, désorientée. Où était-elle ? Plissant les yeux, elle reconnut le décor familier du bureau de Dennison.

Tout lui revint en mémoire : elle s'était endormie sur le canapé, ivre de chagrin et de fatigue. Après le départ de Bram, elle avait fermé les trois portes du bureau à clé pour éviter d'être dérangée puis, recroquevillée sur elle-même, elle avait versé toutes les larmes de son corps — un comble, pour elle qui ne pleurait jamais ! Bercée par le son de ses propres sanglots, elle avait fini par s'endormir.

Bref, elle avait été pa-thé-tique. Comment avait-elle pu céder, même un instant, aux sirènes des rumeurs malicieusement colportées par Jacob ? Si elle avait écouté sa raison, elle n'aurait pas passé son après-midi à pleurer comme une gamine. Et surtout, elle n'aurait pas contraint Bram à revivre le drame qui avait coûté la vie à sa femme et à son bébé.

Certes, elle lui faisait totalement confiance, à présent. Mais à quel prix ?

Allons ! s'exhorta-t-elle en se levant. Le mal était fait… à elle de le réparer, au lieu de se perdre en regrets inutiles. Pour commencer, elle allait remettre de l'ordre dans la pièce et…

Une exclamation de surprise lui échappa. Sous la lumière crue du plafonnier qu'elle venait d'allumer, le bureau était parfaitement en ordre.

L'ordinateur, l'imprimante, le scanner ? Eteints. La corbeille à papier ? Vidée, et remise à sa place sous la table. Quant à l'annuaire qu'elle avait laissé ouvert à la page des études notariales, il avait purement et simplement disparu !

Le cœur battant, elle s'approcha de l'ordinateur. Les photos de Leigh n'y étaient plus ! constata-t-elle, effarée. Une recherche rapide — sous l'armoire, derrière les machines, dans les tiroirs du bureau — ne fit que confirmer ses craintes. Les photos s'étaient bel et bien volatilisées.

Quelqu'un s'était introduit dans la pièce pendant son sommeil.

Mme Norwhich ? Elle avait peut-être tenu à faire le ménage… mais pourquoi aurait-elle emporté les photos ?

Par chance, sa bouteille d'eau était toujours là, remarqua-t-elle en l'apercevant sur une console. Elle la vida d'un trait, puis s'approcha de l'ordinateur. Tout à l'heure, Bram lui avait expliqué que la photo de Leigh avait sans doute été enregistrée sur le disque dur. Si elle parvenait à la localiser, elle pourrait l'imprimer… et la récupérer !

Ses espoirs furent de courte durée : à peine allumée, la machine lui réclama un mot de passe.

Helen sentit sa gorge se nouer. Bram n'avait pas eu besoin de mot de passe, lui !

S'enjoignant au calme, elle éteignit l'ordinateur, puis le remit sous tension. Peine perdue : la fenêtre exigeant le mot de passe s'afficha de nouveau à l'écran.

Un juron lui échappa. Bram avait raison : quelqu'un s'amusait à jouer avec ses nerfs… mais elle ne craquerait pas. Pas encore. Pas dans sa propre maison.

D'autant qu'il lui restait encore des cartes à jouer : le notaire de Dennison, par exemple. Il saurait peut-être l'aider, la conseiller… Puisqu'elle se souvenait de son nom, à présent, elle n'avait pas besoin d'annuaire. Un coup de fil aux renseignements suffirait ! Tendant la main vers le téléphone, elle souleva le combiné… mais il demeura obstinément silencieux. La ligne avait été coupée.

Le semblant de calme qu'elle était parvenue à rassembler vola en éclats. Les mains tremblantes, le souffle court, elle se laissa tomber sur le canapé. C'en était trop. Elle allait devenir folle…

Levant les yeux, elle promena un regard hébété sur la pièce. Qui était entré pendant qu'elle dormait ? Qui avait subtilisé les photos de Leigh, l'annuaire ? Qui avait installé un mot de passe sur l'ordinateur et coupé le téléphone ?

Une colère froide l'envahit. Elle n'était pas folle — seulement victime d'un agresseur invisible. « La meilleure défense, c'est l'attaque », aimait à répéter Dennison. Il avait entièrement raison. En cédant à la panique, elle se rendait sans combattre.

— Pas question ! lâcha-t-elle à voix haute. Vous voulez la guerre ? Vous l'aurez !

Traversant la pièce d'un pas résolu, elle déverrouilla la porte et sortit dans le hall.

Un profond silence régnait sur les lieux, plongés dans la pénombre. Helen fronça les sourcils, décontenancée. Quelle heure était-il ? Comme elle se dirigeait vers la cage d'escalier, elle aperçut un rai de lumière sous la porte de la cuisine. Mme Norwhich préparait le dîner, sans doute. Son estomac bondit à cette pensée, émettant un gargouillement des plus explicites. Elle sourit malgré elle. Un petit en-cas ne lui ferait pas de mal, décida-t-elle en obliquant vers l'office.

Une mauvaise surprise l'y attendait : ce n'était pas la gouvernante qui se tenait devant les fourneaux. Mais Marcus.

En robe de chambre, il faisait réchauffer une part de tarte aux pommes dans le micro-ondes.

— Je… Je ne savais pas que tu étais là, marmonna-t-elle. Je pensais trouver Mme Norwhich.

— Elle est montée se coucher.

— Déjà ? Quelle heure est-il ?

Il jeta un œil à sa montre.

— Bientôt 21 heures.

Elle sursauta. Elle avait dormi tout l'après-midi et toute la soirée ? Cela ne lui ressemblait pas… Etait-elle en train de tomber malade ? Une vive inquiétude s'insinua en elle… mais elle la repoussa fermement : la peur faisait le jeu de ses ennemis, à coup sûr.

Son père sortit une bouteille du réfrigérateur et remplit un grand verre d'eau, qu'il posa près de son assiette. Réprimant

160

un soupir, Helen se servit à son tour. Son père n'avait manifestement pas l'intention de lui proposer quoi que ce soit...

— Il faut que nous parlions, déclara-t-elle en ouvrant une bouteille neuve.

— Je n'ai rien à te dire, répliqua-t-il sèchement.

Elle secoua tristement la tête.

— Ce n'est pas nouveau. Mais cette fois, je ne te laisserai pas le choix. J'ai rendez-vous avec le notaire pour régler la succession de maman. Et je veux que tu mettes fin au contrat de Bram. Blackrose n'est pas une prison.

— C'est hors de question.

— Tu n'avais pas le droit de faire poser ces barreaux aux fenêtres sans me demander mon avis. C'est ma maison, pas la tienne.

Il lui décocha un regard si haineux qu'elle ne put réprimer un mouvement de recul.

— Tu crois ça, petite peste ?

Il fit un pas vers elle, la toisant de toute sa hauteur.

— Tu es une vraie Hart, toi ! Aussi arrogante que ta mère... Tu devrais avoir retenu la leçon, pourtant !

Le cœur d'Helen battait à tout rompre. Jamais Marcus ne lui avait paru si menaçant.

— Méfie-toi, reprit-il en baissant la voix. Je pourrais te briser la nuque, si je le voulais.

Un sourire cruel aux lèvres, il se pencha vers elle... Terrifiée, Helen ouvrait la bouche pour appeler à l'aide quand un bruit de pas se fit entendre dans son dos.

— Que se passe-t-il, ici ? lança Eden. Je vous ai entendus crier. Marcus ?

Tandis qu'Helen reprenait son souffle, il se tourna vers son épouse.

— C'est bien ce que je te disais : j'aurais dû me débarrasser d'elles ! tonna-t-il d'une voix frémissante de rage.

Eden posa tranquillement l'assiette de tarte et le verre d'eau sur un plateau, avant de lever les yeux vers lui.

— Ton émission commence dans cinq minutes.

— J'y vais, acquiesça-t-il. Débrouille-toi avec elle !

— Tu peux compter sur moi, assura-t-elle.

Marcus sortit en jurant entre ses dents. Aussitôt, Eden lança un regard noir à Helen.

— Cesse d'importuner ton père, maugréa-t-elle d'un ton lourd de reproches. Il est fatigué.

— *Fatigué ?* répéta-t-elle, stupéfaite. Il est fou, oui ! Fou et dangereux.

— Certainement pas. Il allait très bien avant ton arrivée.

— Comment peux-tu dire une chose pareille ? Marcus a transformé Blackrose en forteresse. Il a perdu la tête, je te dis !

Eden haussa les épaules avec un dédain manifeste.

— C'est toi qui perds la tête, ma pauvre enfant ! Tu deviens aussi paranoïaque que ton père… Ce n'est pas surprenant, au fond. Il paraît que certaines pathologies sont héréditaires !

L'attaque était frontale, mais Helen s'interdit de se laisser décontenancer.

— Tu es mal placée pour me donner des leçons, répliqua-t-elle. Je t'ai aperçue ce matin, dans le labyrinthe, et tu n'avais pas l'air très normale, crois-moi !

— Je ne vois pas de quoi tu parles, objecta sa belle-mère avec un calme olympien. Je n'ai pas mis les pieds dans le jardin depuis hier soir : il faisait bien trop chaud pour sortir.

— Inutile de mentir, Eden. Je t'ai suivie ! Et j'ai surpris ta conversation avec Marcus. Tu le fais chanter, c'est ça ?

— Pardon ? se récria-t-elle, stupéfaite. Qu'as-tu entendu, exactement ?

— Marcus disait qu'il ne paierait pas un centime de plus.

162

De surprise, l'expression d'Eden se fit pensive. L'espace d'un instant, elle sembla oublier la présence d'Helen… puis, redressant la tête, elle plongea son regard dans le sien.

— Laisse-nous tranquilles, Helen. Ou tu le regretteras, je t'assure.

Elle saisit le plateau qu'elle avait préparé pour Marcus et quitta la pièce. Le bruit de ses pas s'évanouit peu à peu. Et dans le silence retrouvé, la porte du garde-manger se referma dans un murmure.

Helen se retourna vivement.

Quelqu'un se cachait à l'intérieur !

9.

Helen prit une profonde inspiration. Et ouvrit la porte du garde-manger d'un coup sec.

Il n'y avait personne.

Pourtant, elle avait entendu la porte se refermer, un instant plus tôt !

Etait-elle victime d'hallucinations, à présent ?

— Ah, te voilà ! s'exclama Jacob en entrant dans la cuisine, un large sourire aux lèvres. Je t'ai cherchée partout... Je commençais à m'inquiéter : tu n'es pas venue dîner, et ta voiture...

Il s'interrompit pour la dévisager avec attention.

— Mais... Que t'arrive-t-il ? Tu es si pâle...

Elle lui offrit un sourire qui se voulait rassurant.

— Ce n'est rien. Je viens d'avoir une explication avec Marcus et ta mère et...

— Ça t'a retournée ? acheva Jacob d'un air compatissant. Je te comprends ! Ma mère me fait souvent cet effet, à moi aussi... Tu veux m'en parler ?

Elle secoua la tête.

— Non, merci. Je crois que je vais aller me coucher.

— Sans manger ? Franchement, ce n'est pas très raisonnable. Je peux te préparer quelque chose, si tu veux.

Il s'avança, une lueur sensuelle au fond des yeux.

Non, gémit-elle intérieurement. Pas maintenant !

— Je suis plutôt bon cuisinier, ajouta-t-il. Et puis… j'aime te rendre service, Helen. D'ailleurs, je pourrais faire *beaucoup* de choses pour toi…

Sa voix s'était faite plus langoureuse, son regard plus insistant… Elle eut un mouvement de recul involontaire.

— Jacob, je t'en prie. Je ne suis pas en état de…

— Et si on se mariait, Helen ?

La question lui fit l'effet d'une bombe. Elle n'avait jamais rien entendu d'aussi absurde.

— P-pardon ? marmonna-t-elle, sous le choc.

— Mais oui ! Nous avons tellement de points communs, assura-t-il. Nous partageons les mêmes goûts, et nous nous entendons à merveille. Je suis sérieux, Helen, très sérieux. Ecoute-moi, je t'en prie ! Il y a si longtemps que je voulais t'en parler, mais je n'arrivais jamais à me décider. Et puis, ces jours-ci, à te voir si… stressée, j'ai compris que tu avais besoin de soutien. Je sais que ce n'est pas facile à admettre pour une femme comme toi, si forte, si déterminée… mais j'aimerais vraiment m'occuper de toi.

Elle prit une inspiration tremblante.

— Tais-toi, Jacob. C'est de la folie.

— Pas du tout. Il y a des années que j'y pense.

— Non. *Non !* répéta-t-elle comme il tentait de l'enlacer.

Il laissa retomber ses bras, l'air dépité.

— Pardonne-moi, dit-il. Je ne voulais pas te brusquer… C'est juste que… J'attends ce moment depuis si longtemps ! C'est sans doute un choc pour toi, mais… promets-moi d'y réfléchir, d'accord ?

Elle soupira. Non, elle ne voulait pas y réfléchir. De toute façon, elle ne *pouvait* même plus réfléchir. Les pensées s'entrechoquaient dans son esprit sans ordre logique.

— Je… J'ai besoin d'être seule, Jacob. Bonne nuit. A demain.

— Attends ! protesta-t-il comme elle s'élançait vers le couloir. Tu n'as rien mangé. Helen, attends !

Elle ne l'écoutait plus. Courant à toutes jambes, elle s'engagea dans l'escalier, le gravit quatre à quatre, et longea le couloir jusqu'à sa chambre. Là, ouvrant le battant à la volée, elle s'engouffra à l'intérieur et verrouilla la porte à double tour.

Elle attendit, l'oreille collée au battant, persuadée que Jacob ne tarderait pas à la rejoindre… mais le couloir demeura silencieux. Aussi amoureux soit-il, il avait compris qu'il devait la laisser tranquille.

Elle se laissa choir sur son lit, le souffle court. Elle n'arrivait pas à le croire. Jacob venait de la demander en mariage ! Pire, il affirmait être amoureux d'elle depuis des lustres. Elle secoua la tête. Cela n'avait aucun sens. Comment avait-elle pu grandir à son côté sans jamais rien soupçonner ? Et puis… qu'allait-il advenir de leur relation, à présent ? Devrait-elle sacrifier leur amitié sur l'autel de cette proposition ridicule ?

Mais comment lui annoncer son refus sans le heurter ?

Bah ! Elle finirait bien par trouver les mots justes… Les hommes n'étaient pas si compliqués à comprendre, n'est-ce pas ?

Un sourire las au coin des lèvres, elle se força à se redresser. Elle était trop fatiguée pour aborder la question ce soir, de toute façon. Demain, peut-être… Oui, demain, elle trouverait le courage d'aller parler à Jacob.

Pour l'heure, une bonne douche s'imposait. Elle était si crispée que ses épaules lui faisaient mal, comme après une séance de sport. Quant à ses cheveux, une bouteille entière d'après-shampooing ne suffirait pas à les dompter ! estima-t-elle en jetant un coup d'œil à son reflet dans le miroir de la salle de bains.

Elle ne se trompait pas : l'eau chaude lui fit du bien. Pour la première fois de la journée, elle parvint à se vider la tête des soucis qui l'assaillaient. Laissant le jet brûlant ruisseler sur sa nuque, elle se contenta d'enchaîner les gestes familiers : verser une dose de gel-douche au creux de sa main, se savonner, se rincer... Ensuite, enveloppée dans un grand drap de bain propre, elle entreprit de démêler les longues mèches blondes qui lui retombaient dans les yeux. Un peigne à la main, elle se posta devant la glace...

Alors, lentement, le visage tourmenté de Bram s'imposa à son esprit. Elle avait besoin de lui, admit-elle avec une lucidité presque douloureuse. Il était son ancre, son point de salut dans la tempête qu'elle traversait. Accepterait-il de la croire ? Il la pensait gagnée aux théories de Jacob... Quel gâchis ! Si elle ne parvenait pas à le convaincre de la confiance qu'elle lui accordait, leur relation ne s'en relèverait pas.

Il fallait qu'elle lui parle. Et le plus tôt serait le mieux.

Elle tressa ses cheveux encore mouillés puis, saisissant une jupe vert anis et un T-shirt assorti, elle s'habilla rapidement. Le couloir semblait désert, estima-t-elle en jetant un regard prudent sur le palier. Elle referma la porte de sa chambre derrière elle, et s'élança vers l'escalier. A son grand soulagement, le hall comme la cuisine étaient vides. Elle prit le temps de grignoter un morceau de fromage — son estomac venait de se rappeler à son bon souvenir —, puis elle emballa une part de tarte, saisit une bouteille d'eau et sortit par la porte de derrière.

Un calme apaisant régnait sur le parc, baigné dans la douce clarté d'une grosse lune ronde. Guidée par la lumière rougeoyante de la forge, qui ondulait à travers les branches des arbres, Helen s'engagea sur le sentier qui menait au campement de Bram.

Elle s'arrêta au seuil de la petite clairière qu'il avait investie, derrière les bâtiments délabrés de l'ancienne forge. Comme le soir de son arrivée, Bram se dressait devant un grand brasier, un marteau dans ses mains lourdement gantées. Elle l'observa un long moment, fascinée par le spectacle qu'il lui offrait... mais, comme le soir de son arrivée, il finit par deviner sa présence.

Et leva un regard irrité vers elle.

— Que faites-vous là ?

— Je... Je suis venue vous parler, expliqua-t-elle en faisant un pas vers lui.

Il l'enveloppa d'un regard las, s'arrêtant un instant seulement sur le galbe de ses seins, souligné par le T-shirt moulant qu'elle avait choisi.

En toute conscience, il fallait l'admettre.

— Je n'ai pas envie de « parler », Helen. Rentrez chez vous. Je ne suis pas d'humeur à bavarder ce soir, croyez-moi.

— Je sais, renchérit-elle. C'est ma faute. Pardonnez-moi.

Il posa son marteau sur l'établi de fortune qui se dressait à sa droite, et ôta ses gants.

— Qu'attendez-vous de moi, au juste ?

Tout, songea-t-elle.

Elle posa son sac de provisions sur une chaise pliante, et traversa la petite clairière. Bram lui opposait une résistance aussi tenace que le métal qu'il travaillait. Mais fléchirait-il, lui aussi, si elle le soumettait à une forte chaleur ?

— J'ai besoin de vous, déclara-t-elle simplement.

— De moi, ou de mon corps ? répliqua-t-il du tac au tac.

— Les deux. Mais avant tout, j'ai besoin de votre aide.

Elle déglutit péniblement. Cette conversation se révélait plus compliquée qu'elle ne l'avait imaginé. Si seulement Bram y mettait un peu du sien, au lieu de la fixer d'un regard noir !

— J'ai peur. *Vraiment* peur, avoua-t-elle soudain, optant pour la sincérité.

Bram ne cilla même pas.

— De quoi ?

— De ce qui m'arrive. Je me sens tellement bizarre depuis quelque temps ! Je suis exténuée du matin au soir, je ne parviens pas à me concentrer, j'entends des bruits, je…

Elle se mordit la lèvre pour retenir le sanglot qui enflait dans sa gorge.

— Le pire, c'est que j'ai tout le temps envie de pleurer, poursuivit-elle d'une voix tremblante. Eden a raison; je suis en train de devenir aussi folle que Marcus.

— Consultez un médecin, répliqua Bram d'un ton sec.

Il cherchait manifestement à la décourager… mais elle ne se démonta pas.

— Pourquoi me racontez-vous tout cela ? reprit-il.

« Parce que je suis tombée amoureuse de vous », voulut-elle répondre — mais elle se retint. A quoi bon s'humilier davantage ? Il ne voulait pas d'elle, c'était évident.

A défaut de tendresse, accepterait-il de lui accorder son amitié ?

— Parce que vous êtes le seul en qui j'ai confiance, déclara-t-elle. Vous l'avez dit vous-même : quelqu'un s'amuse à jouer avec mes nerfs… et je ne sais pas comment lutter.

Son estomac émit un gargouillis plutôt déplaisant. Et assez sonore pour rompre le silence nocturne.

— Bon sang, Helen ! bougonna Bram. A quand remonte votre dernier repas ?

— Je n'ai pas dîné, avoua-t-elle. J'ai dormi tout l'après-midi.

Il la dévisagea en silence. « Pas un mot de réconfort », songea-t-elle, de plus en plus dépitée. Elle allait devoir tourner les talons et regagner la maison… Cette perspective lui sembla si insupportable qu'elle ferma les yeux — et manqua de tituber.

— Asseyez-vous, ordonna-t-il. Vous allez tomber.

Il avait posé une main sur son bras pour la retenir.

— Vous tremblez, constata-t-il d'un ton radouci.

— Ça m'arrive souvent, ces temps-ci.

D'inflexible, son expression se fit soucieuse. Etouffant un juron, il la fit asseoir sur une chaise pliante avec une sollicitude qui l'émut aux larmes.

— Vous devriez manger.

— Je viens de prendre un bout de fromage. Et j'ai apporté deux parts de tarte aux pommes.

— J'ai déjà dîné, répliqua-t-il d'un ton bourru, et il lui tourna le dos.

Pouvait-il être plus clair ? Sa présence le gênait, et il ne la supporterait plus très longtemps… Elle baissa les yeux pour dissimuler son amertume.

Et ne les rouvrit que bien plus tard, lorsqu'il lui secoua doucement l'épaule.

— Helen ? Réveillez-vous !

Elle sursauta. Bram se dressait devant elle, en chemise et en jean propres. Il avait fait réchauffer des pommes de terre rissolées, qu'il lui tendait sur une assiette. Combien de temps avait-elle dormi ? s'interrogea-t-elle, déconcertée. Il lui semblait pourtant qu'elle avait fermé les yeux dix secondes plus tôt…

— Je ne comprends pas ce qui m'arrive, marmonna-t-elle. Ce n'est pas normal de dormir autant… Et j'ai tellement soif ! Pouvez-vous me donner ma bouteille d'eau ? Je l'ai mise dans le sac, avec les parts de tarte.

170

Il lui lança un regard inquisiteur.

— Prenez-vous des somnifères ?

— Non. Je ne prends aucun médicament.

— … mais vous buvez beaucoup d'eau, ajouta-t-il.

Elle haussa les épaules.

— C'est bon pour la santé.

— Mangez ça, dit-il en posant l'assiette de pommes de terre sur ses genoux. Je vais chercher votre bouteille.

Elle obtempéra, portant distraitement la fourchette à ses lèvres, tandis qu'il s'emparait de son sac à provisions, abandonné sur une chaise à l'entrée de la clairière.

Il examina la bouteille à la lueur de la lampe à pétrole, avant de s'éloigner de nouveau. Lorsqu'il lui tendit un gobelet en carton, quelques instants plus tard, elle avait pratiquement terminé son repas improvisé.

— Buvez ça, dit-il.

— Qu'est-ce que c'est ?

— De l'eau gazeuse.

Elle eut une grimace de dégoût.

— Désolé, s'excusa-t-il. Je n'ai pas d'eau plate.

— Mais… et ma bouteille ? Vous ne l'avez pas trouvée ?

— Si. Mais je n'ai pas très envie de vous la donner…, marmonna-t-il.

Il approcha de nouveau la bouteille encore scellée de la lampe, et la fit pivoter sur toutes ses faces. Quand il accentua la pression de ses doigts autour du goulot, un filet d'eau s'en échappa.

Helen poussa une exclamation de stupeur.

— C'est bien ce que je pensais, commenta-t-il. Lorsque je l'ai prise dans le sac, tout à l'heure, elle m'a glissé des doigts… Quand sont apparus vos premiers symptômes ?

Un frisson lui parcourut la nuque. Etait-il possible que l'eau soit à l'origine du mal étrange qui l'assaillait ?

— Le lendemain de mon arrivée ici, répondit-elle.

Bram hocha la tête.

— L'autre jour, j'ai bu à votre bouteille ; vous vous souvenez ? J'ai passé l'après-midi à m'assoupir… Sur le moment, j'ai cru que c'était dû à la chaleur, mais…

— Attendez, intervint-elle. Etes-vous en train de me dire que cette eau est empoisonnée ?

— C'est la seule explication possible. Regardez, intima-t-il en lui tendant la bouteille. Le bouchon est intact, mais le goulot a été percé, tout près du pas de vis. A l'aide d'une seringue, manifestement.

Les protestations moururent sur ses lèvres : il avait raison, constata-t-elle en passant son doigt sur le récipient.

— Combien de bouteilles avez-vous bues aujourd'hui ?

— Je… Je ne sais pas. Deux ou trois, peut-être.

Elle était terrifiée, à présent. Quelle substance avait-elle ingérée, au juste ? Et qui lui en voulait assez pour lui infliger un tel traitement ?

Bram, lui, ne se perdit pas en conjectures.

— Venez, enjoignit-il. Je vous emmène à l'hôpital.

— Non !

Le cri lui avait échappé — assez violemment pour que Bram la dévisage avec stupeur.

— Si les analyses sont positives, je serai obligée de porter plainte, expliqua-t-elle. Et le commissaire de Stony Ridge m'accusera d'avoir monté toute l'affaire pour le forcer à rouvrir l'enquête sur…

Elle laissa sa phrase en suspens. Le souvenir des événements qui l'avaient opposée à la police locale, sept ans plus tôt, suffisait à réveiller ses rancœurs enfouies.

— L'enquête sur la disparition de votre mère ? acheva Bram d'un air sombre.

— C'est ça. Le commissaire et moi sommes en froid, depuis ce temps-là… Il n'a jamais cru aux accusations que j'ai portées contre Marcus. Plus je lui reprochais son inertie, moins il s'intéressait au dossier. J'ai fini par renoncer — mais je le tiens pour responsable de l'échec de l'enquête. Vous comprenez, n'est-ce pas ? ajouta-t-elle en lui décochant un regard plein d'espoir.

Comme il acquiesçait, elle reprit aussitôt :

— Et si nous faisions analyser l'eau par un laboratoire indépendant ?

Il réfléchit un instant, avant de répondre :

— C'est une bonne idée. Pensez-vous que vos voisins puissent nous être utiles ?

— Les Walken ? Pourquoi ?

— Ils connaissent tout le monde, si j'ai bien compris… Ce n'est pas mon cas, Helen. En plus, il est bien trop tard pour appeler un cabinet médical. Les Walken nous orienteront peut-être vers un de leurs amis.

La solution n'était pas mauvaise. Même si les Walken ne pouvaient les aider, leur soutien moral lui serait précieux.

— D'accord, dit-elle. Il faut juste que j'aille chercher mon sac à la maison…

— Pas question, objecta-t-il fermement. C'est trop dangereux.

Elle le dévisagea sans répondre. La situation échappait à son contrôle… Comment accepter de ne plus mettre les pieds dans la maison qui l'avait vue naître ? Bram avait raison, pourtant. Déjà, l'eau qu'elle buvait avait été empoisonnée… Le pire était peut-être à venir.

Helen était terrorisée. Et la fatigue qui l'accablait ne l'aidait guère à faire face, comprit Bram en lui prenant la main. Dieu savait quelles substances elle avait ingérées sans le savoir ! Un traitement se révélerait peut-être nécessaire. Et plus tôt un médecin pourrait le lui prescrire, mieux ce serait.

— Installez-vous dans la camionnette, suggéra-t-il en l'entraînant vers son véhicule, garé à l'orée de la clairière. Je range mon matériel, et je vous rejoins.

Elle hocha la tête et monta sur le siège passager sans ajouter un mot. Elle paraissait exténuée, tout à coup, comme si la drogue avait repris ses droits après lui avoir accordé un peu de répit.

Lorsqu'il se hissa derrière le volant, dix minutes plus tard, elle était profondément endormie.

Il la secoua gentiment.

— Helen ? J'ai besoin de vous. Il faut que vous m'indiquiez le chemin.

A son grand soulagement, elle ouvrit les yeux presque aussitôt.

— Hmm ? D'accord, acquiesça-t-elle d'une voix ensommeillée.

Elle le guida sans trop d'encombres, luttant manifestement pour ne pas céder à la torpeur qui l'envahissait.

La propriété des Walken, moins vaste que celle des Thomas, était nettement plus accueillante. Et ce fut sans la moindre appréhension que Bram s'engagea dans l'allée centrale. Il se rangea à côté de deux autres voitures, et contourna la camionnette pour aider Helen à descendre.

Mme Walken répondit presque aussitôt à leur coup de sonnette. Bien que surprise, elle mit toute sa courtoisie naturelle dans le sourire de bienvenue qu'elle leur adressa.

— Quelle joie de vous voir ! Entrez donc.

Bram s'exécuta sans lâcher la main d'Helen, qui tenait à peine debout.

— Bonsoir, madame Walken. Désolés de vous déranger si tard, mais nous avons besoin de votre aide, annonça-t-il avec gravité.

Comme George Walken faisait irruption dans le vaste hall, il résolut d'aller à l'essentiel :

— L'eau minérale que boit Helen depuis son arrivée à Blackrose a manifestement été droguée. Nous venons de le comprendre… et nous aurions besoin d'un médecin.

— Quels sont les symptômes ? s'enquit Emily avec un calme rassurant.

— Fatigue excessive, somnolence, confusion mentale…, énuméra Bram, avant d'ajouter à l'adresse d'Helen : Quoi d'autre ?

— J'ai très soif. Et j'entends des bruits.

Sa voix n'avait été qu'un murmure. George lança un regard inquiet à Bram.

— L'hôpital…

— Non, objecta-t-elle. Je préfère laisser les autorités en dehors de cette histoire.

Le vieil homme hocha la tête.

— Je comprends. Dans ce cas… nous pouvons sans doute en parler aux Levinson : ils sont venus dîner, justement. Saul est pédiatre, et sa femme Rhea est chimiste. Venez. Je vais vous présenter.

Les Levinson se révélèrent aussi sympathiques que leurs hôtes. Agé d'une quarantaine d'années, Saul était jovial et généreux ; sa femme, plus discrète, déploya des trésors de douceur pour mettre Helen à l'aise et l'inciter à raconter ses troubles dans le détail.

Cette dernière s'était installée près de Bram sur un des canapés du grand salon, et ce fut tout naturellement qu'il passa un bras autour de ses épaules pendant la conversation. La savoir en danger l'incitait à la protéger, bien sûr… mais ce n'était pas tout. La confiance qu'elle lui avait témoignée l'avait touché. En l'aidant dans l'épreuve qu'elle traversait, il souhaitait lui témoigner sa reconnaissance.

En espérant qu'elle ne se méprendrait pas sur son geste…

— Bien sûr, vous êtes un peu plus âgée que mes patients habituels, déclara Saul Levinson avec un sourire quand Helen eut terminé son récit. Mais je peux sûrement vous aider. Je vais vous examiner, puis vous me fournirez un échantillon d'urine. Je l'enverrai dès demain matin à mon labo habituel et nous serons fixés dans la journée.

Helen acquiesça avec reconnaissance. Saul partit chercher sa mallette dans sa voiture, puis il rejoignit son épouse et la jeune femme à l'étage pour l'examiner. Bram demeura au salon, faisant les cent pas pour déguiser son impatience… L'attente fut de courte durée, heureusement : les Levinson redescendirent un quart d'heure plus tard — sans Helen, qui se reposait dans une des chambres d'amis.

— Alors ? s'enquirent George et Bram à l'unisson.

— Sa tension est basse, mais rien de catastrophique, assura Saul. L'effet de la drogue commence à se dissiper. Nous en saurons plus demain. Dès que le labo aura identifié le produit, nous pourrons lui prescrire un traitement adéquat.

Ils prirent congé, laissant Bram seul avec ses hôtes.

— Quelle sale histoire ! marmonna George. En tout cas, je vous remercie de nous avoir amené Helen. Nous l'aimons beaucoup, vous savez… Il y a plusieurs années, j'ai promis à son grand-père de veiller sur elle et sa sœur jumelle. Alors, ce soir, j'ai un peu l'impression de remplir ma promesse…

— Vous nous ferez l'honneur de rester cette nuit, n'est-ce pas ? intervint Emily avec chaleur.

Il secoua la tête.

— Ne vous souciez pas pour moi. Je peux rentrer dormir à Blackrose.

— Ce n'est peut-être pas une bonne idée… Et puis, Helen sera plus rassurée si vous êtes là, j'en suis sûre. Je vais vous installer dans la chambre en face de la sienne, d'accord ?

Difficile de résister à tant de gentillesse… Vaincu, Bram accepta. Il partit chercher ses affaires de toilette et des vêtements de rechange dans la camionnette, puis il suivit Emily au second étage, dans une partie apparemment inhabitée de la maison.

— C'est ici que dormaient nos pensionnaires les plus âgés, expliqua-t-elle. A l'adolescence, on a besoin d'autonomie…

Sur ces paroles pleines de malice, elle le laissa devant la porte de la chambre qu'elle lui avait attribuée.

Après avoir posé ses vêtements sur le bord du lit, il décida de prendre une douche. La salle de bains était au bout du couloir… Il s'y enferma et se dévêtit rapidement.

Si l'eau chaude détendit agréablement ses muscles crispés par la fatigue et l'inquiétude, elle ne fit rien, en revanche, pour apaiser le flot tumultueux de ses pensées. Avec Helen, il jouait un jeu dangereux, et il le savait. Bientôt, très bientôt, il ne saurait plus lutter contre les émotions qu'elle éveillait en lui. Des émotions qui le terrifiaient. Et auxquelles il ne pouvait répondre.

Car Helen n'était pas le genre de femme à se contenter d'une aventure. Entière et passionnée, elle exigerait de lui un engagement aussi total que le sien.

Il se raidit. Le mariage, les enfants… Il n'aurait pas la force d'emprunter ce chemin une seconde fois.

Mais où trouver celle de résister à Helen ? En trois jours, elle avait miné plus sérieusement ses défenses que la poignée de femmes qu'il avait fréquentées en sept ans. Exacerbant le désir qui les poussait l'un vers l'autre, elle lui avait prouvé qu'il était encore un être de chair et de sang. Un homme intensément vivant, capable d'aimer et d'être aimé.

Alors, n'était-ce entre eux qu'une question d'attirance physique ? Il aurait voulu s'en convaincre : faire l'amour avec elle tournait à l'obsession… Mais il se connaissait trop pour s'étourdir de mensonges. Il désirait Helen, bien sûr. Mais il était *aussi* en train de tomber amoureux d'elle.

Il noua une serviette autour de sa taille et sortit dans le couloir, soulagé de le trouver vide.

Sa chambre, elle, ne l'était pas.

10.

Assise sur l'un des deux lits jumeaux qui occupaient la petite chambre, Helen paraissait nerveuse, mais déterminée. Les cheveux lâchés sur ses épaules nues, elle dégageait un érotisme d'autant plus enivrant qu'il n'avait rien d'affecté. La nuisette de satin fuchsia qu'Emily lui avait prêtée pour la nuit épousait habilement ses courbes sensuelles sans rien dissimuler de leur perfection.

Ainsi vêtue, les joues colorées d'une légère impatience, elle avait tout d'une femme amoureuse, attendant l'arrivée de celui qui faisait chavirer son cœur.

Sauf qu'il n'était pas son amant. Et n'avait pas l'intention de le devenir.

— Que faites-vous ici ? s'enquit-il rudement.

— Je vous attendais.

Son regard se fit brumeux, voilé d'un désir qu'elle ne cherchait pas à réprimer. Les mots étaient inutiles. Bram savait parfaitement ce qu'elle avait en tête.

Puisque les mêmes pensées le hantaient sans relâche.

— Ce n'est pas une bonne idée.

Ses lèvres s'étirèrent en un sourire coquin.

— Pourquoi pas ?

— Parce que je n'ai pas changé d'avis. Je ne vous ferai pas l'amour, Helen. Ni maintenant ni plus tard.

Elle haussa négligemment les épaules.

— Tant pis.

Tant pis ? Il se consumait de désir pour elle, et c'était tout ce qu'elle trouvait à dire ?

— C'est moi qui vous ferai l'amour, alors…

Il crut que son cœur s'arrêtait de battre. C'était la phrase la plus érotique qu'il avait entendue de sa vie.

— … mais pas maintenant, acheva-t-elle tranquillement. Parce que ce n'est pas pour cette raison que je suis venue.

Il s'arracha à la contemplation de ses seins, lovés dans un savant entrelacs de dentelle rose. Que disait-elle ? Il avait perdu le fil de la conversation. Un feu brûlant s'était emparé de lui, balayant toute pensée rationnelle.

— Si vous continuez à me regarder ainsi, je finirai peut-être par changer d'avis, avertit-elle.

Lui aussi. Ses résolutions ne tenaient plus qu'à un fil. Il devait se faire violence pour ne pas tendre la main vers elle, suivre d'un doigt tremblant la ligne délicate de sa nuque, effleurer le galbe de ses seins pour les sentir gonfler sous sa caresse…

— J'ai bien réfléchi, dit-elle tout à trac.

— C'est mauvais signe.

— Je vous remercie. Je ne sais pas si c'est le sandwich d'Emily ou la piqûre de vitamine B du Dr Levinson, mais je me sens pleine d'énergie. Vous aussi, non ? ajouta-t-elle en lançant un regard malicieux à la serviette qu'il avait nouée autour de sa taille.

Et qui ne laissait aucun doute sur le désir qu'elle lui inspirait.

— Nous sommes à moitié nus dans une chambre à coucher, Helen. Vous êtes très désirable. Et je suis un homme…

— En effet, interrompit-elle, plus mutine encore. Je suis ravie que vous ayez envie de moi. Parce que j'ai *très* envie de vous.

Bram jura intérieurement. Il s'était promis de rester sur le seuil de la chambre… mais sa raison l'avait trahi. De sorte qu'il se trouvait maintenant devant Helen, penché sur la soie de ses épaules nues.

— Je suis trop vieux pour ce petit jeu, je vous l'ai déjà dit.

— Alors, essayons le grand jeu.

Sa voix n'avait été qu'un murmure lascif. Elle tendit la main vers la serviette… Il l'arrêta d'un geste sec.

— Non.

Elle laissa retomber sa main sur ses genoux.

— Désolée. Je ne sais pas comment m'y prendre.

Elle semblait si vulnérable, à présent… Son refus l'avait désarmée, débarrassée de son audace de façade. Et c'était sans artifice, dans la violence de son désir pour lui, qu'elle le dévorait d'un regard suppliant.

A court d'arguments, il se réfugia sous le chapiteau des conventions sociales.

— Nous ne sommes pas chez nous, ici. Les Walken nous ont attribué des chambres différentes. Et je doute qu'ils approuvent ce que vous avez l'intention de faire sous leur toit.

Elle secoua la tête, attirant son regard sur ses cheveux dénoués. Dieu, qu'elle était jolie !

— Vous vous trompez. Je connais la maison : les chambres d'amis sont au premier étage. Emily nous a installés ici *précisément* pour nous laisser tranquilles. Elle voulait me laisser le choix… Et mon choix est fait, Bram. Je ne veux pas dormir seule. Puis-je rester avec vous ?

Il ferma les yeux. Ses résistances l'abandonnaient une à une. En lui s'ouvrait un abîme qu'elle seule pouvait combler.

— Si vous attendez plus qu'une partie de jambes en l'air, vous serez déçue, lâcha-t-il brutalement. Je n'ai pas l'étoffe d'un mari.

Elle se leva avec une grâce qui n'appartenait qu'à elle.

— Et alors ? Je ne me souviens pas d'avoir demandé votre main.

C'était la phrase qu'il attendait. En assurant qu'elle ne cherchait rien d'autre qu'un peu de plaisir entre ses bras, elle venait d'emporter sa décision. A quoi bon lutter davantage ? Il était fatigué de jouer les martyrs. Une femme superbe s'offrait à lui. La vie ne lui ferait peut-être plus d'aussi beaux cadeaux.

Glissant une main sous sa nuque, il l'attira contre lui, frôlant ses lèvres entrouvertes de son souffle brûlant.

— Nous sommes d'accord, si je comprends bien ?

— Tout à fait d'accord, acquiesça-t-elle.

… Avant de s'emparer de sa bouche en un baiser violent, exigeant, le suppliant d'interrompre l'attente, l'insupportable torture qu'il lui avait imposée. Mais, submergé de plaisir, Bram ne pouvait se rassasier d'elle, de la douceur de ses lèvres, de sa bouche impérieuse. Leurs souffles se mêlaient, s'épousaient dans le silence de la petite chambre.

Enfin, n'y tenant plus, il la renversa sur le lit, caressant du regard la douceur satinée de sa peau, à peine dorée par le soleil de juin. Tête renversée, yeux clos, Helen s'abandonna à ses mains fébriles qui, déjà, se refermaient sur la rondeur de ses seins.

Un soupir lui échappa tandis qu'il se penchait vers elle, traçant du bout des lèvres un chemin brûlant sur sa gorge nue. Les pointes de ses seins se dressèrent sous sa langue, lui arrachant un cri de plaisir. Elle plongea les mains dans ses cheveux, le serrant contre elle… Elle avait attendu si longtemps, avant de s'abandonner enfin à ce désir impérieux…

Enfin, lui aussi y cédait, et elle sentait une ivresse délicieuse l'envahir. Rien ne lui avait jamais paru aussi juste. Jamais non plus il n'avait éprouvé un sentiment aussi naturel, aussi évident, que celui qu'il éprouvait pour Helen.

Il se redressa, souleva doucement les jambes de la jeune femme. Puis il se pencha pour déposer un baiser sur sa peau fine, juste au-dessus de son pied. Cette peau veloutée, aussi douce et sucrée qu'un fruit, excitait ses sens... Un long frisson la parcourut lorsqu'il souleva sa nuisette pour laisser ses lèvres glisser le long de ses longues jambes galbées, remonter vers son genou, puis l'intérieur de la cuisse, là où la peau est si fine... Un gémissement s'étrangla dans sa gorge comme elle cambrait les reins pour mieux s'offrir à sa caresse. Alors, il s'enhardit, effleurant la délicieuse moiteur de son intimité d'un baiser aussi tendre qu'audacieux. Helen gémit et sentit son bassin balancer presque malgré elle ; oui, elle le voulait, son corps exigeait ses caresses...

Ivre de désir, elle se redressa, fit tomber la serviette qui lui ceignait encore les reins, et posa une main sur son sexe dressé. Il eut un gémissement de plaisir — mais il arrêta sa main quand elle voulut le caresser.

— Non... Je ne tiendrai plus très longtemps... J'ai tellement envie de toi...

— Moi aussi, murmura-t-elle. Viens.

Il souleva ses hanches à sa rencontre et pressa la vigueur de son désir contre le sien.

— Viens, répéta-t-elle. Je t'en prie.

Alors il entra en elle. Doucement. Et plus rien ne compta que cette infinie douceur dans laquelle il se perdait, follement heureux de la faire sienne en même temps qu'il s'offrait à elle, de toute son âme.

Leurs corps semblaient se connaître depuis toujours, comme s'ils avaient été destinés à devenir des amants et à progresser ensemble vers l'extase. Pourtant la sensation qui le brûlait, qui le consumait tout entier, ne ressemblait à rien de ce qu'il avait connu jusqu'alors. Dans les bras d'Helen, il avait l'impression de faire l'amour pour la première fois.

Elle se cambra, ivre de plaisir, répétant son prénom à l'infini… Et lorsque la jouissance l'envahit tout entière, Bram la rejoignit dans un cri, avant de lui voler l'ultime gémissement qui s'échappait d'entre ses lèvres.

Comblés, épuisés, ils demeurèrent immobiles un long moment, bras et jambes emmêlés dans le désordre des draps froissés.

Puis, se redressant à demi, Helen vint caler sa tête contre son épaule avec un soupir de contentement.

— Hmm. On est si bien…

Bien ? Le terme était un peu faible. Gagné par une douce torpeur, Bram aurait voulu étirer cet instant à l'infini. Mais une longue liste de problèmes s'affichait déjà sous ses paupières closes.

— Tu sais ce qui serait encore *mieux* ? reprit Helen d'une voix ensommeillée. Ce serait de faire venir ce drap jusqu'à moi…

— Pourquoi ? Tu as froid ?

Elle eut un petit rire espiègle.

— Après notre séance d'échauffement ? Certainement pas ! Je n'aime pas dormir sans rien, c'est tout.

Il émit un grognement de protestation.

— Il faut se lever, alors ?

— J'en ai peur. Mais ne bouge pas, dit-elle en lui déposant un baiser sur le bout du nez. Je m'en charge. Il faut que j'aille aux toilettes, de toute façon. Où est passée ma chemise de nuit ? Ah, la voilà !

Amusé, Bram se dressa sur un coude pour la regarder enfiler sa nuisette. Les joues roses, les yeux brillants, elle était plus sexy que jamais.

— Tout va bien ? demanda-t-il.

Elle lui décocha un sourire radieux.

— Divinement bien. Nous tenons le traitement idéal contre les méfaits de l'eau minérale de Blackrose !

Elle quitta la pièce d'un pas dansant. Demeuré seul, Bram remit de l'ordre dans la literie. A peine partie, Helen lui manquait déjà... Cette découverte, loin de l'inquiéter, l'emplit d'une étrange satisfaction. N'était-il pas grisant de sentir de nouveau la passion brûler dans ses veines ? Il avait éprouvé des sentiments similaires pour Jane, autrefois.

Ce qui n'avait pas empêché la mort de l'emporter.

Helen revint à cet instant. Elle se glissa entre les draps, lovant son corps chaud contre le sien avec un ronronnement de chaton satisfait. Bram sentit son cœur se serrer. Elle semblait si confiante en l'avenir... Tendant le bras, il éteignit la lampe de chevet. L'obscurité l'aiderait peut-être à trouver les mots justes ?

Il les cherchait encore quand la voix de sa compagne brisa le silence.

— Tu dors toujours nu ?

— Oui. As-tu d'autres questions à me poser ?

— Sûrement. Je veux tout savoir de toi.

La mort dans l'âme, il se résolut à parler. Il l'aimait trop pour la laisser se bercer d'illusions.

— Helen... Moins tu en sauras sur moi, mieux cela vaudra. Je n'ai rien à donner, je te l'ai déjà dit.

— A cause de ce qui est arrivé à ta femme et à ta fille ?

— Oui.

Etrangement, l'évocation du drame lui sembla moins pénible que d'habitude. Il se risqua même à convoquer certaines images — des instantanés de bonheur, du temps où Jane et lui croquaient la vie à pleines dents. Une douce mélancolie le gagnait, infiniment plus supportable que la culpabilité dévorante qui accompagnait ses rares incursions dans l'album de son passé.

— Bram ?

— Oui ?

Il s'attendait à ce qu'elle l'interroge sur son mariage. Mais, à son grand soulagement, elle orienta la conversation sur un autre sujet.

— C'est à propos de l'eau empoisonnée. Je crois que la drogue ne m'était pas destinée.

Il glissa un bras autour de son épaule tandis qu'elle continuait :

— Je n'avais prévenu personne de ma visite. Pourtant, la bouteille que j'ai prise dans la cuisine le lendemain de mon arrivée était déjà empoisonnée. Or, Marcus est le seul à boire de l'eau minérale : Eden et Jacob préfèrent l'eau gazeuse. Quant à Mme Norwhich, elle ne jure que par l'eau du robinet. Bref, je me demande si le comportement étrange de Marcus n'est pas dû à cette drogue... Eden m'a parlé de démence précoce, mais je ne suis pas convaincue. Ses symptômes ressemblent aux miens — en plus violents, naturellement. Qu'en penses-tu ?

Il réfléchit un instant. Son hypothèse était plus que vraisemblable, en effet.

— Si c'est ton père qui est visé, ce que je veux bien admettre, qui est responsable ?

— Eden, répondit-elle sans hésitation. Elle est infirmière, ne l'oublie pas. Elle a forcément accès au laboratoire de Marcus.

— Pourquoi s'amuserait-elle à droguer ton père ?

186

— C'est la question que je me pose. Elle sait forcément que Blackrose n'appartient pas à Marcus, mais elle a peut-être des vues sur sa fortune personnelle.

— En a-t-il une ?

— Je n'en suis pas sûre. Leigh et moi l'avons toujours soupçonné d'avoir épousé maman pour sa fortune, mais je n'ai jamais connu sa situation financière. Comme il vit depuis trente ans à Blackrose sans rien payer, j'imagine qu'il a amassé de solides économies… Quant à Eden, si c'est l'appât du gain qui la motive, elle a sans doute fait un calcul réaliste : Marcus a encore de longues années à vivre. En le droguant jusqu'à la démence, elle espère peut-être le déchoir de ses droits et devenir son tuteur légal.

— Hmm… Ça tient debout, reconnut-il. Et puis, il y a cette histoire de chantage… Lorsque je t'ai retrouvée dans le labyrinthe l'autre jour, tu m'as dit que tu avais entendu Marcus crier qu'il refusait de payer.

— Oui. Je n'ai pas *vu* Eden à son côté, mais je l'ai suivie dans le labyrinthe. Je suis pratiquement sûre qu'elle se tenait derrière la haie. Si c'est elle qui fait chanter Marcus, cela prouve qu'elle en a après son argent, non ?

— Effectivement. Mais je ne suis pas aussi sûr que toi de sa présence dans le labyrinthe… parce que moi, j'y ai suivi Jacob ce jour-là !

Elle sursauta.

— Jacob ? Tu ne m'en avais pas parlé.

Il haussa les épaules, un peu embarrassé.

— Je ne voulais pas avoir l'air de m'acharner contre lui…

— C'est vrai que tu ne l'aimes pas beaucoup. Qu'as-tu contre lui, au juste ? Il ne t'a rien fait !

— Question d'instinct, sans doute, répondit-il évasivement.

Inutile de se ridiculiser auprès d'Helen en lui avouant la jalousie qui l'envahissait chaque fois que Jacob posait les yeux sur elle.

— Dans ce cas, l'instinct est réciproque, ironisa-t-elle. Il ne t'apprécie pas non plus.

— Vraiment ? J'en suis navré. Quels sont ses rapports avec Marcus, au fait ?

— Tu ne le soupçonnes quand même pas d'avoir drogué l'eau ?

— Bien sûr que si. Le seul fait d'habiter cette sinistre baraque le transforme en coupable potentiel, répliqua-t-il sombrement.

— C'est ridicule : Jacob est arrivé après moi !

— C'est ce qu'il dit. Mais rappelle-toi : le premier soir, tu étais convaincue qu'il y avait quelqu'un dans la maison. C'était peut-être Jacob !

Elle s'appuya sur un coude.

— Non. Il serait venu me saluer en m'entendant entrer. Et puis, j'aurais vu sa voiture dans l'allée.

— Il l'avait peut-être laissée dans le garage, insista Bram. As-tu vérifié ?

Le silence gêné qui suivit répondit à sa question.

— Tu es aveuglée par l'affection que tu lui portes, avoue-le.

— Sans doute, admit-elle.

Elle hésita, leva les yeux vers lui et lança :

— Il m'a demandée en mariage tout à l'heure.

— *Comment ?*

— J'étais aussi surprise que toi. J'étais à mille lieues d'imaginer qu'il puisse éprouver le moindre sentiment amoureux à mon égard...

Comme elle laissait sa phrase en suspens, manifestement troublée, il ne put s'empêcher de la relancer :

— Raconte-moi tout, Helen. Que s'est-il passé, exactement ?

Elle lui raconta en quelques mots sa conversation avec Jacob, insistant sur le fait qu'elle n'avait « pas la moindre intention » de l'épouser. Le sujet semblait la laisser indifférente, comme si elle avait autre chose en tête. Intrigué, il insista gentiment, et finit par obtenir le récit de l'événement qui avait précédé son entretien avec Jacob — cette histoire de porte qui se refermait dans son dos.

— Il y a de quoi s'inquiéter, non ? conclut-elle. Soit c'est un des effets de la drogue, soit... je suis en train de devenir folle !

— Arrête, Helen, intima-t-il. Ta santé mentale n'est pas en cause, et tu le sais bien.

— Dans ce cas, comment expliques-tu le bruit que j'ai entendu derrière moi ?

— Mme Norwhich dort près de la cuisine, n'est-ce pas ? C'est peut-être la porte de sa chambre que tu as entendue, pas celle du garde-manger ?

Elle parut peser le pour et le contre... avant de concéder :

— C'est possible, en effet.

— D'ailleurs, c'est peut-être Mme Norwhich qui trafique l'eau minérale. Elle passe son temps dans la cuisine !

Elle eut une moue dubitative.

— Pourquoi s'en prendrait-elle à mon père ? Autant accuser Paula, pendant que tu y es !

— Pourquoi pas ?

— Sois sérieux, Bram. Odette et Paula viennent tout juste d'être embauchées. Elles n'ont aucune raison de nous en vouloir !

— Qui sait ? Si j'ai bien compris, ton père a plutôt mauvaise presse dans la région. Vos nouvelles employées font peut-être partie de ses ennemis… à moins que l'une d'elles ne soit sa maîtresse ?

Un court silence accueillit sa remarque, et il craignit de l'avoir choquée. Mais elle éclata de rire.

— Tu plaisantes !

— Un peu, admit-il en souriant à son tour. Ce que je voulais te faire comprendre, c'est que tout le monde est suspect, dans cette affaire. Demain, quand nous aurons les résultats des analyses, nous y verrons plus clair. Pour le moment… nous devrions essayer de dormir.

Helen s'adossa aux oreillers, laissant tomber sa tête contre son épaule.

— D'accord. Mais d'abord, j'ai quelque chose à te demander.

— Je t'écoute.

— J'aimerais que tu me conduises à Blackrose tôt demain matin.

Il se raidit.

— Certainement pas. C'est trop dangereux, Helen. J'irai chercher tes affaires, si tu veux.

— Eden ne te laissera pas entrer.

— Je n'avais pas l'intention de lui demander la permission.

— Ah ! Tu sais forcer une serrure, alors ? s'enquit-elle avec satisfaction.

Il réprima un soupir.

— Oui… mais je ne vois pas en quoi cette compétence peut t'être utile.

— C'est très simple : je veux que tu m'aides à forcer la porte du cabinet médical de Marcus, expliqua-t-elle doctement. Demain, quand tout le monde dormira encore. Il y a une sacrée réserve de médicaments là-dedans. Ça vaut le coup d'aller y jeter un œil, non ?

— Tu n'espères tout de même pas y trouver la drogue qui t'a rendue malade ?

— Pourquoi pas ? A part Eden et Marcus, personne n'a l'autorisation d'entrer dans cette pièce. Paula n'a même pas le droit d'y faire le ménage ! C'est donc une assez bonne cachette… Et même si nous ne trouvons pas la drogue en question, la lecture des archives de Marcus nous mettra peut-être sur une piste. S'il est aussi mauvais médecin que le prétend la rumeur, il s'est forcément fait des ennemis parmi ses patientes.

— Je suis d'accord avec toi, mais ce n'est pas à nous de mener l'enquête. Nous ne sommes pas des flics, Helen !

Sa remarque manquait de conviction — et pour cause : il commençait lui aussi à s'interroger sur ce qu'ils pourraient découvrir derrière les portes closes du cabinet médical.

— Et si c'était Eden, et non Marcus, qui avait trouvé tes coordonnées sur Internet ? reprit-elle pensivement. Elle aurait entendu les rumeurs qui circulent à ton sujet, et tu lui serais apparu comme la couverture idéale…

Il fronça les sourcils.

— Comment cela ?

— Admettons qu'Eden veuille se débarrasser de Marcus. Une fois son forfait commis, qui l'empêchera de te mettre le meurtre sur le dos en prétendant que tu voulais venger ta femme ?

Un frisson lui parcourut l'échine. L'hypothèse d'Helen était glaçante de cynisme. Effroyable.

Mais vraisemblable.

11.

Ils dormirent peu et se réveillèrent avant l'aube. Habillé en un clin d'œil, Bram remit la pièce en ordre tandis qu'Helen rassemblait maladroitement ses cheveux en queue-de-cheval. Elle était si nerveuse que ses doigts tremblaient.

Ils descendirent à la cuisine où ils avalèrent une tasse de café en silence pour ne pas risquer de réveiller leurs hôtes. Les mots semblaient inutiles, de toute façon : ils se comprenaient d'un geste, comme s'ils s'étaient toujours connus. Bram en avait-il conscience ? Ou demeurait-il convaincu que leur relation se limitait à une bonne entente sexuelle ?

Elle soupira intérieurement. Quoi qu'il pense, elle s'évertuerait à le persuader qu'ils partageaient plus que du désir...

— Tu es prête ? demanda-t-il.

— Oui.

Elle avait longuement insisté pour qu'il l'accompagne à Blackrose au petit matin. Las de lutter, il avait fini par accepter... sans le moindre enthousiasme.

Ils laissèrent un petit mot sur le comptoir de la cuisine pour expliquer leur départ aux Walken, et quittèrent la maison sur la pointe des pieds. La camionnette les attendait, toujours garée dans l'allée.

— Je n'arrive pas à croire que tu m'as poussé à faire une chose pareille, murmura-t-il en l'enlaçant tendrement.

— Ça ne prendra pas plus de vingt minutes, assura-t-elle. Les Walken dormiront encore quand nous reviendrons !

— N'oublie pas notre marché : tu ne t'éloignes pas et tu ne prends aucun risque inutile.

— Oui, Bram, acquiesça-t-elle d'un air docile.

Il leva les yeux au ciel.

— Ne fais pas semblant… L'obéissance te va très mal.

Elle éclata de rire.

— Je sais.

Elle souriait encore lorsqu'ils franchirent le portail de sa maison natale. Bram s'arrêta devant le campement désert et resta quelques instants bouche bée, avant de pousser un cri de colère.

— Que se passe-t-il ? l'interrogea Helen.

Il descendit du camion sans répondre. A le voir examiner son établi sans rien toucher, elle comprit qu'il avait reçu de la visite… Elle le rejoignit, la gorge nouée.

— Il te manque quelque chose ?

Il acquiesça, l'air sombre.

— Mon marteau a disparu. La pièce sur laquelle je travaillais hier a été déplacée. Et mes outils sont sens dessus dessous. Je n'aime pas ça, Helen. J'ai l'impression qu'un drame se prépare… Reste ici. Je vais chercher tes affaires et je te rejoins.

— Je viens avec toi.

Un regard noir accueillit son propos. Mais elle tint bon.

— Nous n'avons plus le choix, à présent, argua-t-elle fermement. Celui qui a volé ton marteau a une sale idée derrière la tête… Nous n'arriverons à rien si nous n'essayons pas de comprendre ce qui se passe.

Un silence s'étira, interminable… Bram plongea ses yeux dans les siens, mesurant sa détermination, cherchant la faille qu'il pourrait exploiter pour la faire fléchir. Il ne la trouva pas : elle était si persuadée d'avoir raison !

— D'accord, lâcha-t-il finalement en lui prenant la main. Allons-y.

L'air était déjà moite, annonçant les fortes chaleurs de la journée. Mais Helen n'en souffrait pas. Pour la première fois depuis son arrivée à Blackrose, elle se sentait les idées claires et marchait d'un pas alerte, pleinement consciente de l'objectif à atteindre.

Cette santé retrouvée la réconciliait avec elle-même. La torpeur qui lui avait fait perdre le contrôle d'elle-même n'était plus qu'un mauvais souvenir. Et si tout se passait comme prévu, elle connaîtrait bientôt le coupable de ces basses œuvres.

« Si tout se passe comme prévu… », répéta-t-elle intérieurement en croisant les doigts dans l'obscurité.

Ils traversèrent l'allée en veillant à ne pas trop faire crisser le gravier sous leurs pas. Comme ils s'y attendaient, les deux portes d'entrée étaient fermées à clé. Bram entraîna Helen vers les fenêtres de la salle d'attente, qu'il n'avait pas encore grillagées. Tirant un outil de sa poche, il donna un coup sec sur le carreau qui jouxtait la clenche. Helen se crispa, persuadée que le bruit avait réveillé la maisonnée… mais tout demeura silencieux. Déjà, Bram tendait la main vers la clenche à travers le carreau brisé… Et ce fut sans encombre qu'ils se hissèrent à l'intérieur par la fenêtre ouverte, quelques secondes plus tard.

La maison était plongée dans un profond silence — aussi menaçant que le soir de son arrivée, se remémora la jeune femme avec un frisson. Quelqu'un se cachait-il dans l'ombre, ce matin aussi ? Elle promena un regard inquisiteur autour d'elle… Tout semblait en ordre. La porte ouvrant sur le hall était verrouillée, ainsi que Bram le vérifia aussitôt entré.

Celle qui menait au cabinet médical, en revanche, s'ouvrit sans résistance.

Ils échangèrent un regard surpris. N'était-ce pas un peu trop... facile ? Leur mystérieux ennemi ne s'y serait pas pris autrement s'il avait *voulu* les attirer à l'intérieur...

— Es-tu sûre que personne n'est réveillé ? lui chuchota-t-il au creux de l'oreille.

— Sûre et certaine. Même Marcus ne se lève pas aussi tôt.

Il s'engagea dans le couloir qui menait au cabinet de Marcus. Deux portes se devinaient face à lui ; une troisième s'ouvrait sur sa droite. Bram se tourna vers Helen, l'air interrogateur.

— Toilettes, précisa-t-elle à voix basse en désignant la porte de droite, puis, pointant les deux portes du fond : laboratoire d'analyses. Bureau de Marcus.

— Ça sent bizarre, non ? reprit-il en fronçant le nez.

Elle avait remarqué, elle aussi. Une forte odeur de produits chimiques imprégnait l'atmosphère.

— C'est peut-être un désinfectant ? suggéra-t-elle.

Il acquiesça d'un air dubitatif, et s'avança vers le laboratoire d'analyses. Là encore, la porte n'était pas verrouillée.

Helen le suivit à l'intérieur. L'odeur y était plus forte encore : sans être nauséabonde, elle était assez écœurante pour donner envie de rebrousser chemin. Mais Helen n'en fit rien, bien sûr. Bram avait allumé les néons, qui jetaient une lumière crue sur la pièce — presque trop crue après la pénombre de la salle d'attente. Helen cligna des yeux, désorientée... avant de promener un regard attentif autour d'elle. Le matériel était en ordre, mais il semblait avoir été déplacé récemment : la fine couche de poussière qui recouvrait les équipements présentait des disparités.

— Nous ne sommes pas les premiers, murmura-t-elle en fronçant les sourcils. Pourtant, je suis certaine que Marcus a cessé de pratiquer.

Bram lui tendit des gants jetables.

— Enfile ça, ordonna-t-il, en attrapant une autre paire dans la boîte posée sur une étagère. Inutile de laisser des traces…

Elle secoua la tête ;

— Pourquoi ? Je suis chez moi, ici !

— Toi, oui. Moi, pas. Nous en parlerons plus tard. Mets-les, s'il te plaît.

Elle obtempéra tandis qu'il ouvrait les tiroirs d'un meuble à roulettes. L'un d'eux renfermait un stock de seringues stériles. Bram en choisit une, qu'il déposa dans une pochette de plastique transparent, trouvée dans une caissette de rangement.

— Elles correspondent peut-être à la perforation que nous avons remarquée sur ta bouteille d'eau, expliqua-t-il comme elle lui lançait un regard interrogateur.

Ils reprirent leurs recherches, le plus discrètement possible. Par chance, le mobilier ne grinçait pas. Tantôt hissée sur la pointe des pieds, tantôt courbée pour examiner le contenu des étagères les plus près du sol, Helen se chargea de passer les flacons de solutions médicamenteuses en revue. Bram, lui, était toujours occupé à vérifier le contenu des tiroirs… De longues minutes s'étaient écoulées, infructueuses, quand il brandit une petite bouteille remplie d'une solution parfaitement limpide.

— Qu'est-ce que c'est ? demanda-t-elle.

— Aucune idée. Mais ça ne sent rien, c'est transparent, et il n'y a pas d'étiquette…

— Où l'as-tu trouvée ?

— Derrière la boîte de compresses. Plutôt bien cachée, en fait. Rien ne prouve que c'est ce que nous cherchons, mais ça y ressemble fort...

Helen esquissa un sourire nerveux.

— C'est peut-être du chlorure de sodium...

— Je ne crois pas : la texture semble plus épaisse, remarqua-t-il en inclinant la bouteille. Rhea nous en dira plus.

Il s'empara d'une autre seringue et préleva un peu de solution, qu'il injecta dans un flacon stérile. Puis il remit la bouteille dans sa cachette et glissa le flacon dans la pochette plastique qu'ils destinaient aux Levinson.

— Merci, chuchota Helen. Je ferais mieux d'aller jeter un œil dans le bureau de Marcus : le temps passe vite.

Il hocha la tête.

— Sois prudente. Je finis ici, et je te rejoins.

Il était nerveux, lui aussi. Mais tout se passait plutôt bien, jusqu'à présent, estima-t-elle en s'éloignant. Si la solution correspondait au poison qu'elle avait ingéré, elle pourrait porter plainte sans craindre les rebuffades du commissaire de police : le dossier serait assez solide pour justifier l'ouverture d'une véritable enquête.

La porte du bureau s'ouvrit sans plus de résistance que les précédentes. Plongée dans la pénombre, la pièce dégageait la même odeur que le cabinet médical — plus puissante encore, peut-être. « Une odeur à vous donner mal à la tête », songea-t-elle, troublée. De quoi s'agissait-il ? Et pourquoi ces lieux, qu'elle pensait abandonnés depuis le départ à la retraite de Marcus, en avaient été imprégnés ?

Elle alluma la lampe qui se dressait sur le bureau. Sous-main de cuir vert, assortiment de stylos, large fauteuil recouvert de velours émeraude... Tout semblait à sa place. Un ordinateur et une imprimante laser trônaient à l'extrémité de la table, mais elle s'interdit de l'allumer : il lui faudrait des heures pour passer en revue les fichiers informatiques qu'il renfermait. Mieux valait examiner les dossiers médicaux des patientes, estima-t-elle en se tournant vers l'armoire de dossiers suspendus installée près de la fenêtre. Là aussi, elle manquerait de temps, sans doute. Mais qui sait ? Un nom, un détail insolite attireraient peut-être son attention ?

Elle fit coulisser le panneau... et recula d'un pas, effarée. Cette odeur, encore... Les dossiers paraissaient en avoir été imprégnés récemment : ils étaient humides !

Marcus avait-il fait venir une société de décontamination ? Ou avait-il chargé Paula de vaporiser un produit contre les insectes ? Cela expliquerait l'odeur... mais pourquoi les chemises cartonnées n'avaient-elles pas séché ? Le traitement semblait remonter à quelques minutes à peine...

Quelqu'un s'était levé à l'aube pour vaporiser le bureau et le cabinet médical d'une substance inconnue... et peut-être toxique.

Prise de panique, elle faillit refermer l'armoire d'un coup sec. Mais ses yeux s'arrêtèrent sur l'un des dossiers médicaux.

Myers, Jane.

Rangé à la lettre M, en tous points identiques aux autres — hormis la couleur de l'encre employée sur l'onglet : bleue, au lieu de noire —, il semblait danser à hauteur de son regard. Elle s'en empara sans hésiter. Bram lui avait affirmé que sa femme n'avait jamais consulté Marcus, et elle le croyait. Que faisait ce dossier ici, alors ?

Un rapide coup d'œil confirma ses soupçons : c'était un faux. Il ne présentait qu'un seul type d'écriture, au lieu de deux — celle de la secrétaire médicale et celle du médecin —, et les renseignements faisaient état d'un nombre trop important de visites pour être vraisemblables. Jane Myers avait passé l'essentiel de sa grossesse à New York, pas à Stony Ridge !

Il n'y avait qu'une seule explication possible : c'était un coup monté contre Bram. Pour accréditer la thèse de la vengeance, sans doute. Et lui faire porter le chapeau, une fois le crime commis...

Qui était assez machiavélique pour imaginer un tel stratagème ? Elle n'aurait su dire si l'écriture était celle d'Eden ou de Marcus : l'une comme l'autre ne lui était pas assez familière. Elle s'apprêtait à la comparer à celles qui figuraient dans les autres dossiers, quand un choc sourd brisa le silence, aussitôt suivi d'un cri de douleur.

Bram ! Elle courut vers le laboratoire. Etendu sur la moquette, son compagnon paraissait exsangue. Blessé à la tête, il saignait abondamment. Le marteau qui lui avait été dérobé au campement gisait à ses pieds, maculé de sang.

Terrifiée, Helen se précipita vers lui. Mais il la repoussa vivement quand elle voulut l'aider à se relever.

— Ne m'attends pas. Va-t'en !

— Pas sans toi.

— Je me débrouillerai. Va-t'en, Helen, je t'en prie !

— Pas question, objecta-t-elle avec un sang-froid dont elle fut la première étonnée. Fais un effort... Je vais essayer de te soulever.

Ignorant ses protestations, elle lui passa un bras autour des épaules et l'entraîna vers la porte. Il se redressa en chancelant... et s'affaissa contre elle de tout son poids. Helen fléchit, mais tint bon. S'il perdait conscience maintenant, elle n'aurait pas la force de le porter jusqu'à sa voiture. Or, son agresseur pouvait revenir d'un instant à l'autre...

Ses yeux la piquaient horriblement, à présent. Le produit chimique s'était répandu dans la pièce, raréfiant l'oxygène. Raison de plus pour quitter les lieux au plus vite, estima-t-elle, tendant la main vers la porte.

Qui refusa de s'ouvrir.

Furieuse, elle venait de donner un coup de pied rageur contre le battant quand une puissante déflagration retentit dans son dos. Le choc fut si violent qu'il les projeta au sol. Un nuage de fumée noire s'éleva vers le plafond, l'atmosphère devint irrespirable. Et le système d'alarme se déclencha dans un grand hululement sonore.

Helen risqua un regard derrière elle : venu de nulle part, le feu se propageait à une vitesse effrayante. Déjà, les flammes léchaient les étagères encombrées de produits toxiques... Il n'y avait plus une seconde à perdre. Le laboratoire allait exploser !

— Helen ! hurla soudain Bram. Dans la salle de bains, vite !

La salle de bains ? Elle se trouvait dans le couloir, de l'autre côté de la porte verrouillée. Avait-il perdu la tête ?

Elle n'eut pas le temps de protester. Il la saisit sans ménagement et l'entraîna vers un petit cabinet de toilette, aménagé dans un renfoncement du laboratoire. Là, ouvrant le robinet en grand, il lui plongea le crâne sous l'eau.

Alors seulement, elle comprit : sa queue-de-cheval avait pris feu !

Bram éteignit les flammèches, et lui tendit une serviette, puis il se pencha à son tour sous le filet d'eau froide pour se laver le visage. Sa plaie saignait toujours, mais il semblait avoir repris des forces...

— Laisse-moi regarder, dit-elle lorsqu'il referma le robinet.

— Plus tard. Le feu ne va pas tarder : il faut bloquer la porte.

Baissant les yeux, elle constata avec horreur que la fumée s'immisçait déjà sous le battant — un mince panneau de contreplaqué qui ne résisterait pas longtemps à l'assaut des flammes.

Ôtant sa chemise, Bram l'aspergea d'eau glacée et la jeta en boule contre le battant. Helen fit de même avec la serviette, puis elle arracha violemment un grand morceau de tissu dans le sèche-mains accroché au-dessus du lavabo.

— Ne bouge pas, intima-t-elle, et elle noua le bandage improvisé sur le front de Bram.

— Merci. Si j'arrive à te faire sortir d'ici, je te nomme secouriste en chef de Blackrose.

Ils échangèrent un pâle sourire.

— C'est gentil. En pompier, tu n'es pas mal non plus ! ajouta-t-elle en passant la main dans ses cheveux calcinés.

— Justement, dit-il, reprenant son sérieux. Qu'y a-t-il derrière ce mur ?

Il désigna la paroi de droite — la seule qui ne communiquait pas avec le laboratoire.

Elle réfléchit un instant.

— La salle de télévision, je crois.

— Ne bouge pas. Je vais chercher le marteau.

— Non ! C'est...

Trop tard : il avait déjà ouvert et refermé la porte. Un souffle d'air brûlant s'était engouffré dans la petite pièce, et la jeune femme se courba en deux, prise d'une violente quinte de toux. Elle se redressait quand Bram la rejoignit, le visage baigné de sueur.

— C'est moins grave que je ne le craignais, annonça-t-il. Le feu n'a pas encore pris près des armoires. Mais nous devons faire vite. Ecarte-toi, je vais défoncer le mur.

Joignant le geste à la parole, il abattit un violent coup de marteau sur la paroi. Le cabinet de toilette était tout juste assez large pour eux deux. Helen se recroquevilla dans un coin pour se protéger des éclats de bois et de plâtre qu'il fit voler autour d'eux. Une brèche apparut bientôt dans le mur, mais il dut poursuivre ses efforts pendant de longues minutes encore. Enfin, Helen aperçut le parquet de la pièce voisine à travers les éclats de plâtre. Un immense soulagement l'envahit. Ils allaient échapper à cet enfer !

— Les dames d'abord, énonça-t-il d'une voix entrecoupée quand le trou fut assez large pour la laisser passer.

Elle s'agenouilla et s'engouffra dans la brèche.

— Plus vite ! cria-t-il.

Retenant son souffle, elle rampa vers le plancher du salon... mais sa jupe se prit dans un éclat de bois, interrompant sa progression.

— Je suis coincée !

Bram lâcha un juron. Elle sentit ses mains se poser sur ses hanches. Il descendit la fermeture Eclair et déchira le tissu d'un coup sec. Elle était libre ! L'instant d'après, elle émergeait de l'autre côté, couverte de poussière, les vêtements en lambeaux et les mains en sang.

Mais vivante.

— Bram ! Dépêche-toi ! intima-t-elle en se penchant pour lui attraper la main.

Il s'engagea dans la brèche... mais elle n'était pas assez large pour ses épaules. Il dut se relever et frapper la paroi, encore et encore. Derrière lui, la fumée se frayait un passage sous le battant de la porte, emplissant leurs poumons de son souffle âcre et vicié.

Helen laissa échapper un sanglot. Devrait-elle assister, impuissante, à l'asphyxie de son compagnon ? Pourquoi personne n'était venu à leur secours ? L'alarme résonnait toujours, pourtant !

Elle ne s'interrogea pas davantage : Bram lui tendait la main par l'ouverture. Il pouvait passer, cette fois ! Elle le saisit fermement par les épaules et le tira vers elle de toutes ses forces...

Il s'abattit sur le plancher du petit salon, à bout de souffle. Une violente crise de toux déchira son torse nu, couvert d'égratignures.

Mais elle ne lui accorda pas un instant de répit.

— Lève-toi, supplia-t-elle en le tirant par le bras. Tu te reposeras plus tard. Nous devons partir avant...

Un craquement sinistre résonna de l'autre côté du mur : la porte du cabinet de toilette venait de céder sous les assauts des flammes.

Helen s'élança vers la porte du petit salon — celle qui ouvrait sur le hall. Il y avait bien *quelqu'un* dans cette satanée maison ! Si seulement Jacob entendait ses appels, il viendrait l'aider à transporter Bram jusqu'à la voiture...

Elle poussa un cri de terreur : la porte était fermée à clé.

Sous le choc, elle s'adossa au battant. Ses jambes ne la portaient plus. Qu'allaient-ils faire, à présent ? Les fenêtres étaient lourdement grillagées, les portes bloquées... Certes, l'air était plus respirable ici. Mais le feu ne tarderait pas à les rejoindre. Ils n'avaient fait que troquer une prison contre une autre. Si personne ne venait à leur secours, c'était ici qu'ils...

— La fenêtre, articula Bram d'une voix rauque. Ouvre la fenêtre.

— Mais... le feu se propagera encore plus vite ! se récria-t-elle, stupéfaite.

— Fais ce que je te dis.

Elle obtempéra. Au point où ils en étaient, pourquoi ne pas respirer un peu d'air frais avant de s'évanouir ?

L'aube pointait à l'horizon, mais le parc semblait désert. Si elle appelait à l'aide, qui l'entendrait ?

— Ne fais pas cette tête, énonça la voix de Bram dans son dos. Tout n'est pas perdu.

Il s'appuya au rebord de la fenêtre, fit courir ses doigts le long de la grille de fer forgé… et débloqua un à un les taquets invisibles qui la retenaient au cadre de métal coulé dans la façade.

— C'est pratique, non ? commenta-t-il avec un sourire.

Sous les yeux émerveillés d'Helen, il poussa la grille, qui pivota docilement sur ses gonds. La voie était libre !

— Qui a dit que tu n'étais pas Superman ? s'exclama-t-elle, riant et pleurant à la fois.

Il la fit taire d'un baiser, puis, l'enlaçant par la taille, il l'aida à grimper sur le rebord de la fenêtre. Ils sautèrent dans le jardin et s'affalèrent sur la pelouse humide de rosée.

Conscients d'avoir échappé de peu à une mort certaine.

12.

— Mademoiselle Thomas ?

Helen leva les yeux vers la femme qui se penchait au-dessus d'elle.

— Je suis le Dr Ravens. Vous êtes la fiancée de M. Myers ?

Elle arracha son masque à oxygène et se redressa contre la tête de lit.

— Où est-il ? Je veux le voir !

Quand Bram avait sombré dans le coma, quelques secondes après avoir sauté par la fenêtre du petit salon, elle avait perdu tout contrôle d'elle-même. La maison, le feu, le hurlement strident du camion de pompiers qui s'engageait dans l'allée… tout s'était mêlé dans un brouillard indistinct tandis qu'elle tentait en vain de réveiller son compagnon. Agenouillée près de lui, elle le suppliait encore lorsqu'un petit groupe de gens avaient couru à leur rencontre, Eden et Marcus en tête.

Son père, en pantalon et chemisette beiges, s'était penché au-dessus de Bram pour examiner sa blessure. Eden, les cheveux en désordre, sanglée dans une vieille robe de chambre, lançait des ordres brefs et contradictoires à Odette et Paula, qui observaient la maison en feu d'un air hagard. Quant à Jacob, en pantalon de pyjama et chaussettes dépareillées, il paraissait trop hébété pour être de la moindre utilité à quiconque.

— Je suis médecin, annonça Marcus aux brancardiers qui les avaient rejoints. Donnez-moi le masque à oxygène, vite ! Cet homme fait une commotion cérébrale. Il a été frappé à la tête. La blessure semble superficielle, mais il faut le suturer avant qu'il ne perde plus de sang. Occupez-vous de ma fille, aussi. Elle tousse à s'arracher les poumons.

Déchirée par une énième quinte de toux, Helen s'était affaissée sur elle-même. Les propos de son père tournaient en boucle dans son esprit. Une commotion cérébrale ? Cela signifiait-il que Bram ne se réveillerait pas ? Ou qu'il risquait de perdre certaines de ses facultés ?

Elle s'était laissé soigner, indifférente à son propre sort. Un homme lui avait appliqué un masque sur le visage, un autre l'avait étendue sur un brancard... quelle importance, désormais ? Si Bram ne s'en sortait pas...

Le trajet jusqu'à l'hôpital lui avait semblé infiniment long. S'était-elle endormie ? Sans doute. En arrivant aux urgences, elle avait rassemblé assez d'énergie pour s'enquérir une nouvelle fois de Bram... et mentir à l'infirmière qui lui demandait son « lien de parenté avec M. Myers »:

— Nous sommes fiancés, avait-elle affirmé, en espérant que cela suffirait à le faire apparaître devant elle, comme par magie.

Mais elle avait dû subir le supplice de l'attente. Après l'avoir installée dans une alcôve au fond de la salle commune, les brancardiers l'avaient abandonnée à son sort. Entre deux quintes de toux, Helen avait tenté de persuader l'infirmière de garde de la laisser partir s'enquérir de Bram... en pure perte. Autoritaire et revêche, la femme s'était emparée d'un désinfectant, qu'elle avait appliqué sans ménagement sur ses égratignures, avant de lui faire avaler un sirop affreusement amer. Dès que l'importune l'avait enfin laissée seule, Helen avait décidé de filer, vêtue d'un pantalon et d'une blouse assez décente pour lui permettre de se glisser dans les couloirs sans attirer l'attention.

Puisque personne ne consentait à lui donner des nouvelles de Bram, elle n'avait plus qu'une solution : partir elle-même à sa recherche.

Elle s'apprêtait à mettre son projet à exécution, quand le Dr Ravens fit irruption dans l'alcôve, un sourire bienveillant aux lèvres.

« Cette fois, songea Helen avec détermination, pas question de laisser passer ma chance. »

— Est-ce qu'il va bien ? Je veux le voir ! répéta-t-elle d'un ton impérieux.

Malencontreusement brisé par une autre quinte de toux.

Le médecin remit fermement son masque à oxygène en place, avant de répondre :

— Il s'est réveillé. Et il a demandé de vos nouvelles.

Un cri de joie lui échappa.

— C'est vrai ? Il va bien, alors ?

Son interlocutrice la toisa avec sévérité.

— Pour un homme qui a reçu un coup de marteau sur la tête et failli périr dans un incendie, oui, il va bien. Savez-vous ce qui aurait pu arriver si les pompiers n'avaient pas été tout près de chez vous quand ils ont reçu votre appel ?

Ce qui aurait pu arriver ? Helen s'en fichait. Ils s'en étaient sortis, non ?

— Je veux le voir, répéta-t-elle, plus obstinée que jamais.

Le docteur leva les yeux au ciel.

— Vous *allez* le voir. Si vous vous sentez la force de me suivre, bien sûr, ajouta-t-elle avec un sourire entendu.

Elle n'avait pas terminé sa phrase qu'Helen s'élançait déjà dans l'allée centrale de la salle commune.

— Pas si vite, mademoiselle Thomas, protesta le médecin en lui emboîtant le pas. Vous surestimez vos forces. Et je ne tiens pas à vous présenter en mauvais état à M. Myers.

Helen lui offrit un regard contrit.

— Désolée. Je suis tellement impatiente de le voir, vous comprenez ?

Une résignation amusée se lut dans le regard de son interlocutrice.

— Il semble aussi impatient que vous... Venez.

Elle l'entraîna vers les ascenseurs, au fond du hall des urgences.

— Votre fiancé a été monté au cinquième étage, en service de traumatologie, expliqua-t-elle. Nous avons désinfecté et suturé sa blessure, mais il refuse de se soumettre à un encéphalogramme. Si vous pouviez le convaincre de l'utilité de l'examen...

Helen sentit sa gorge se nouer.

— Vous m'avez assuré qu'il allait bien. Pourquoi doit-il subir des examens ?

— Par mesure de précaution, répondit le docteur d'un ton apaisant. Sa blessure n'est pas profonde, mais il a perdu beaucoup de sang. Et le coup a été porté près de l'arcade sourcilière. Nous voulons nous assurer que tout est en place à l'intérieur, c'est tout.

Helen acquiesça en s'efforçant de maîtriser l'angoisse qui l'envahissait. Bram était réveillé, c'était l'essentiel.

— D'accord. Je tâcherai de le convaincre, dit-elle comme l'ascenseur s'arrêtait à leur étage.

Elle suivit le Dr Ravens dans la cabine encombrée de visiteurs et de patients de tous âges. Par chance, la plupart d'entre eux descendaient au troisième étage, où se trouvait la cafétéria, et la cabine ne marqua pas l'arrêt au quatrième. Lorsque les portes s'ouvrirent à l'étage suivant, Helen dut se retenir pour ne pas courir à l'extérieur. Calant son pas sur celui du Dr Ravens, elle se laissa docilement guider vers la chambre de Bram.

— C'est ici, déclara le médecin en se figeant devant une porte entrouverte. Je vous laisse avec lui… mais ne le fatiguez pas trop ! Je serai là dans dix minutes.

— Merci.

Elle poussa le battant et s'avança dans la pièce. Bram était seul. Il somnolait, adossé contre les oreillers, le crâne et la moitié du visage dissimulés sous un épais bandage blanc. Ses bras et son torse étaient couverts de pansements. Emue aux larmes, Helen lui prit doucement la main.

Il s'éveilla aussitôt.

— Helen ! s'exclama-t-il. Comment vas-tu ?

Il tendit la main vers son masque à oxygène pour l'enlever, mais elle arrêta son geste.

— Laisse-le où il est. Ça te va à ravir… Tu vois : je me porte comme un charme, ajouta-t-elle en souriant. Tu étais très efficace, dans ton rôle de Superman.

Elle s'était efforcée d'insuffler un peu de légèreté à son propos… mais le triste spectacle qu'il lui offrait fit trembler sa voix. Ses nerfs menaçaient de la lâcher… et Bram le devina sans peine.

— Ne pleure pas, murmura-t-il en serrant sa main dans la sienne. Je vais bien, je t'assure.

Elle esquissa un sourire bravache.

— Je serais plus rassurée si tu acceptais de faire un encéphalogramme. Le Dr Ravens m'a dit que tu avais refusé.

Il secoua la tête — ce qui lui arracha une grimace de douleur.

— Pourquoi refuses-tu cet examen ? insista-t-elle.

Il repoussa son masque d'un geste las.

— Je n'ai pas de couverture médicale, avoua-t-il avec franchise. Cet examen est hors de mes moyens.

— Pas pour moi, objecta-t-elle. Et ne t'avise pas de refuser mon offre. Tu m'as sauvé la vie. Je te dois bien ça, non ?

— Helen...

— Je t'en supplie, Bram. J'ai eu tellement peur... Laisse les médecins vérifier que tu n'as rien. Fais-le pour moi, s'il te plaît !

Une quinte de toux l'empêcha d'en dire davantage. Bram lui posa une main sur le bras.

— C'est bon, Helen. Je le ferai, cet examen. Merci de me l'avoir proposé.

Elle poussa un soupir de soulagement.

— C'est pour toi que je m'inquiète, tu sais, reprit-il en l'attirant contre lui. Cet incendie ne s'est pas déclenché par hasard. Quelqu'un avait vaporisé un accélérant dans le cabinet de ton père. J'aurais dû m'en douter, quand j'ai senti cette odeur bizarre...

— J'ai cru que c'était un insecticide, interrompit-elle pensivement. Je m'apprêtais à venir t'en parler quand je t'ai entendu crier.

— Ce type est arrivé dans mon dos. Il m'a assommé, puis il a déclenché l'incendie et il est parti en verrouillant toutes les issues. Nous étions censés y laisser notre peau, ça ne fait aucun doute !

Helen ferma les yeux, glacée d'horreur.

— Qui était-ce ?

— Aucune idée. Il s'est enfui avant que je puisse me retourner.

Un bruit de pas se fit entendre dans le couloir. Le Dr Ravens passa la tête dans l'entrebâillement de la porte.

— Eh bien, monsieur Myers ? Voulez-vous signer la décharge ou acceptez-vous de nous suivre en salle d'examens ?

210

— Il paraît que je n'ai pas le choix, répondit Bram en lançant un regard faussement vengeur à sa compagne.

— Parfait, dit le docteur. Je vois que votre fiancée vous a convaincu... Je vais demander à un aide-soignant de vous accompagner avant que vous ne changiez d'avis.

— Puis-je rester encore un peu auprès de lui ? demanda Helen.

— Sans problème. De toute façon, il me faudra bien dix minutes pour mettre la main sur un aide-soignant ! Ah, j'oubliais : un officier de police va venir prendre votre déposition dès que vous serez remonté dans votre chambre.

— Entendu, acquiesça Bram. Merci, docteur.

Il attendit qu'elle se soit éloignée, pour reprendre :

— Prends la seringue et le flacon de solution dans la poche de mon pantalon, Helen. Je préfère te les donner avant l'arrivée de la police.

Il avait raison. Inutile d'informer l'officier de l'existence de ces pièces à conviction avant de les avoir fait analyser par Rhea.

— Tu leur fais aussi peu confiance que moi, si je comprends bien, commenta-t-elle en glissant les objets dans les vastes poches de son pantalon d'hôpital.

— Je te rappelle que nous sommes entrés par effraction dans le cabinet médical de ton père... Les flics ne seront sans doute pas ravis d'apprendre ce détail si nous n'avons rien de sérieux à leur mettre sous la dent !

— Bien vu. J'appellerai les Walken dès que tu seras descendu en salle d'examen. Ils viendront me chercher.

Bram se tendit.

— Promets-moi de rester avec eux, Helen. Tu ne seras pas en sûreté tant que nous n'aurons pas mis la main sur le cinglé qui a voulu nous tuer.

— Je te promets la lune — du moment que tu acceptes de faire tous les examens nécessaires.

— Marché conclu, dit-il avec un sourire malicieux. Je dois avouer que je suis curieux de connaître le résultat de ces examens... J'ai l'impression de ne plus avoir toute ma tête. La preuve : je ne me souviens même pas de m'être fiancé avec toi !

Elle s'empourpra.

— Je vais t'expliquer...

L'arrivée de l'aide-soignant lui épargna cette peine.

— Monsieur Myers, c'est vous ? s'enquit le jeune homme poussant une chaise roulante à travers la pièce.

— Oui. Je suis prêt.

Helen se leva.

— Je vais téléphoner aux Walken, puis je reviendrai t'attendre ici. As-tu un peu de monnaie ?

Il hocha la tête.

— Dans mon pantalon.

Elle tira une pièce de cinquante cents de sa poche, et le remercia d'un baiser trop bref à son goût.

— Désolé, mon vieux, lança Bram à l'adresse de l'aide-soignant. Ma *fiancée* est un peu sentimentale...

Elle tenta de le fusiller du regard, mais il lui offrit un sourire si facétieux qu'elle renonça à se prétendre vexée.

Et ce fut en souriant à son tour qu'elle quitta la chambre.

Elle atteignait le vaste hall d'entrée de l'hôpital, où elle espérait trouver des cabines téléphoniques, quand elle aperçut les Walken.

— George, Emily ! J'allais vous appeler. Que faites-vous ici ?

Emily l'étreignit chaleureusement, avant d'expliquer :

— Les nouvelles vont vite, tu sais... Nous avons rencontré Jacob en ville. Quand il nous a dit que tu avais été transportée à l'hôpital, nous avons pensé que tu serais heureuse d'avoir un peu de visite… Comment te sens-tu ?

— J'ai affreusement mal à la gorge et je suis couverte de bleus… mais ça va. Bram a été blessé à la tête. Ils viennent de le descendre en salle d'examens.

George la serra contre lui à son tour, puis il lui tendit un paquet de vêtements propres.

— J'imagine que les tiens n'ont pas résisté à l'épreuve du feu….

Elle sourit.

— Merci. Je meurs d'envie de quitter cette blouse atroce ! J'ai quelque chose pour vous, moi aussi, ajouta-t-elle en sortant la seringue et le flacon de solution de sa poche. Nous avons trouvé ça dans le cabinet médical de Marcus avant l'incendie. Il s'agit peut-être du poison qui a été injecté dans les bouteilles d'eau minérale. Bram a pris la seringue pour vérifier qu'elle correspond au trou pratiqué dans le goulot… Pensez-vous que Rhea Levinson pourra faire les analyses dans la journée ?

— Certainement, assura George Walken avec gravité. Je vais lui téléphoner tout de suite.

Il s'éloigna rapidement. Emily glissa son bras sous celui d'Helen.

— Si nous allions vous refaire une beauté pendant ce temps ? J'ai apporté tout ce qu'il faut. Les salles de bains pour femmes sont au bout du couloir. Venez.

D'abord réticente, Helen se laissa gagner par la gentillesse de sa compagne, qui lui tendit shampooing, savon et serviette, avant de la pousser vers une cabine de douche.

Lorsqu'elle en émergea, quelques minutes plus tard, elle se sentait nettement mieux. Ses multiples égratignures lui arrachaient encore des grimaces de déplaisir, mais la suie et la poussière qui maculaient sa peau n'étaient plus qu'un souvenir.

Bien qu'un peu trop ajustées — sa voisine avait une taille de guêpe —, la chemisette et la jupe qu'Emily lui avait prêtées étaient infiniment plus seyantes que l'uniforme de l'hôpital. Les sandalettes, quant à elles, lui allaient à merveille.

— Formidable ! s'exclama son amie en l'examinant de la tête aux pieds. Cette jupe te va bien mieux qu'à moi.

— Hmm, marmonna Helen en jetant un regard dubitatif à son reflet dans la glace. Vous me flattez, Emily.

— Pas du tout. Ce sont tes cheveux qui me chagrinent...

La jeune femme haussa les épaules.

— Après ce qui m'est arrivé, c'est le dernier de mes soucis.

— Tu as raison. Ça repousse vite, ces choses-là... Veux-tu que je t'aide à faire un chignon ?

— Volontiers.

Emily semblait experte en la matière — et les mèches calcinées d'Helen disparurent en un clin d'œil, habilement dissimulées sous celles qui étaient demeurées intactes.

George les rejoignit lorsqu'elles sortirent dans le couloir.

— Je suis allé faire un tour au service de radiologie. Bram en a encore pour un petit moment. Il n'y a personne en salle d'attente, près du scanner...

— Allons-y, acheva Helen. J'ai besoin de m'asseoir un peu. Et j'ai l'impression que vous avez des choses à me dire.

Elle avait vu juste. Lorsqu'ils furent installés dans la petite pièce déserte, trois étages plus bas, M. Walken leur fit part de sa conversation avec Rhea.

— Elle a analysé l'échantillon d'urine que tu lui as fourni hier soir. Vous aviez raison : l'eau était effectivement droguée. Le produit utilisé est puissant, mais sans effet durable. C'est une solution de synthèse, introuvable dans le commerce. D'après Rhea, seul un chimiste qualifié peut le fabriquer de manière efficace. Les effets correspondent point par point aux symptômes que tu nous as décrits.

Helen réfléchit un instant, avant de remarquer :

— Dans ce cas, Marcus ne souffre pas de démence sénile, comme l'affirme Eden. C'est l'exposition continue à ce produit qui le met dans cet état.

— C'est probable, en effet.

— Avez-vous eu le temps d'en parler à Bram ?

— Oui. Nous avons échangé quelques mots, tout à l'heure. Il est d'accord avec moi : les faits sont assez graves pour justifier l'ouverture d'une enquête. Je sais que tu n'aimes pas beaucoup la police de Stony Ridge, assura-t-il en la voyant se tendre. Mais vous n'avez plus le choix, maintenant. On a voulu vous tuer, Helen ! La police doit faire son travail.

— Parce qu'ils ont « fait leur travail » quand ma mère a disparu, peut-être ?

Elle regretta aussitôt son accès de colère, mais le vieil homme ne parut pas lui en tenir rigueur.

— Ça ne se passera pas comme ça, cette fois-ci, objecta-t-il calmement. Vous avez des preuves tangibles à apporter au dossier.

— J'aimerais en être aussi sûre que vous.

Ce qui la troublait le plus, dans cette histoire, c'était l'apparente innocence de Marcus. Difficile de le considérer comme une victime après l'avoir regardé comme un assassin pendant des années… Pourtant, il était bel et bien la cible de leur mystérieux agresseur. Car elle n'en doutait pas : l'eau droguée lui avait été destinée.

Et puis… comment oublier qu'il avait été le premier à les secourir, ce matin ? Jouait-il la comédie pour tenter de la ramener à sa cause ? Ou s'était-il sincèrement inquiété pour eux ?

215

Impossible de le savoir. Mais elle devait l'avertir des tentatives d'empoisonnement dont il était victime.

— Avez-vous vu Marcus, en ville ? s'enquit-elle en se tournant vers Emily. Il faut le prévenir, pour l'eau…

— C'est juste. Mais je crois qu'il ne risque plus rien pour le moment : les pompiers leur ont interdit l'accès à la maison. L'enquête est en cours, et la zone est sous la protection de la police. Marcus et Eden ne pourront pas y retourner avant plusieurs jours, si j'ai bien compris.

— Où vont-ils loger ?

— A l'Auberge, répondit George. Jacob m'a dit qu'ils avaient réservé pour la semaine. Bram et toi êtes les bienvenus chez nous, si vous le souhaitez.

Elle leur sourit avec reconnaissance.

— Merci. Je ne sais pas ce que je ferais sans vous.

Ils rentrèrent chez les Walken en fin d'après-midi. Après une longue série d'examens, Bram avait enfin été ramené dans sa chambre, et ils avaient tous anxieusement attendu la visite du neurologue. Un jeune officier de police s'était présenté pour prendre leurs dépositions, qu'ils avaient veillé à simplifier. Prévenue par George, Rhea était passée quelques minutes plus tôt chercher l'échantillon de solution qu'ils avaient prélevée dans le laboratoire de Marcus. Il faudrait donc attendre le lendemain pour savoir si cette dernière correspondait à la drogue retrouvée dans les urines d'Helen… Pour le moment, le plus sage était de décrire l'incendie à la police comme une agression inexplicable.

Ce qu'ils firent tous deux avec un naturel confondant.

Le neurologue se présenta peu après le départ de l'officier. Les résultats de l'encéphalogramme étaient bons, affirma-t-il.

Aucune lésion n'avait été détectée. Le patient pouvait donc quitter l'hôpital.

Ivre de soulagement, Helen souriait encore lorsqu'elle s'assoupit dans la voiture qui les ramenait à Stony Ridge, pelotonnée contre le torse de son compagnon. Aussi exténués l'un que l'autre, ils avalèrent un bol de soupe tiède — impossible de manger chaud, tant ils avaient toussé — et montèrent se coucher dans la chambre qu'ils avaient partagée la nuit précédente.

Helen dormait déjà lorsque Bram se glissa sous les draps après avoir tiré les rideaux.

Emily réveilla doucement Bram quelques heures plus tard pour lui donner le médicament prescrit par le neurologue. Il l'avala avec un peu d'eau, remercia la vieille dame et se rendormit aussitôt, la joue contre l'épaule soyeuse d'Helen.

Il faisait grand jour quand il ouvrit les yeux le lendemain matin. Un soleil généreux filtrait à travers les rideaux. Il se redressa sur un coude… et réprima un soupir de dépit.

Helen avait disparu.

La faim l'avait sans doute attirée dans la cuisine, estimat-il en consultant sa montre. Et pour cause : il était près de 11 heures ! Il se leva péniblement — chaque muscle de son corps meurtri le faisait souffrir — et se dirigea d'un pas lourd vers la salle de bains. Prendre une douche se révéla plus douloureux qu'il ne le pensait : l'eau chaude et le savon lui firent l'effet d'un gant de crin sur les multiples coupures qui ornaient ses bras et son torse. Mais il persévéra, heureux de quitter enfin le costume de suie et de poussière qui lui collait à la peau depuis la veille. Après s'être séché avec précaution, il enfila ses derniers vêtements propres et descendit rejoindre ses hôtes.

George l'attendait au salon, un journal déplié sur les genoux.

— Ah, Bram ! Comment vous sentez-vous, ce matin ? Voulez-vous déjeuner ?

— Volontiers.

Il suivit le vieux monsieur jusqu'à la cuisine, où l'attendait un solide petit déjeuner : œufs brouillés, toasts, saucisses… Emily n'avait rien oublié. Joliment disposés sur une assiette, les mets ne demandaient qu'à être réchauffés. George s'y employa aussitôt, refusant catégoriquement l'aide de Bram, qu'il fit asseoir devant un bol de café fumant.

— J'espère que vous avez faim, remarqua-t-il quelques instants plus tard en déposant l'assiette devant lui. Ma femme vous a pris pour un ogre, apparemment !

— Si j'ai faim ? Je crois que oui. Pour ce qui est de mâcher, en revanche… je ne suis sûr de rien, plaisanta Bram. Mes muscles sont en grève depuis hier ! Helen et Emily sont dans le jardin ?

— Non. Elles sont parties en ville.

Son cœur manqua un battement.

— En ville ? répéta-t-il, effaré. Mais…

— Ne vous inquiétez pas. Emily m'a promis de ne pas quitter Helen des yeux. Elles sont allées chez le coiffeur… Elles seront entourées de gens, Bram. Il ne peut rien leur arriver.

Rien ? Il n'en était pas si sûr. Il repoussa son assiette d'un geste las. L'anxiété lui avait coupé l'appétit.

— Ont-elles emporté un téléphone portable avec elles ?

— Bien sûr, acquiesça George. Elles m'ont même promis d'appeler toutes les demi-heures. Je comprends que vous vous fassiez du souci… mais tout se passera bien, je vous assure.

— Je sais. Je ne devrais pas m'inquiéter pour une séance chez le coiffeur. Mais, franchement, je ne serai pas rassuré tant que la police n'aura pas arrêté le dingue qui a voulu nous tuer.

— A propos… L'inspecteur de police ne devrait pas tarder. Il souhaite éclaircir certains détails avec vous. Rhea m'a promis de passer, elle aussi.

Bram se força à terminer son café. Il reposait sa tasse sur la table quand le téléphone sonna. Emily, devina-t-il, la gorge nouée. George décrocha, échangea quelques mots avec sa femme, et se tourna vers Bram.

— Rien à signaler. Elles sont toujours chez le coiffeur.

La matinée s'acheva, rythmée par les appels d'Emily et la courte visite de l'inspecteur de police et de Rhea. Cette dernière avait apporté les résultats des analyses effectuées sur la solution suspecte : il s'agissait bien de la drogue qu'elle avait identifiée la veille. Le doute n'était plus permis, à présent — et Bram se sentit autorisé à révéler toute l'affaire à l'inspecteur Wyatt Crossley, qui nota les faits avec une extrême précision.

Agé d'une trentaine d'années, il avait été nommé à Stony Ridge l'année précédente. Et s'il avait eu vent des différends qui avaient opposé Helen à ses collègues sept ans auparavant, il n'en laissa rien paraître. Sa concision, ses manières franches et directes inspiraient la confiance.

Restait à espérer qu'il serait l'homme de la situation.

George venait de raccompagner ses hôtes, quand le téléphone sonna une nouvelle fois.

— Il ne leur reste plus qu'une course à faire, annonça-t-il après avoir raccroché. Elles seront là pour le déjeuner.

Il se trompait : une demi-heure, puis trois quarts d'heure s'écoulèrent sans le moindre appel. Finalement, les nerfs tendus à se rompre, Bram demanda à M. Walken de composer le numéro d'Emily… qui sonna dans le vide.

— C'est mauvais signe, bougonna-t-il. Ma femme n'éteint jamais son portable.

— Savez-vous où elles sont allées ?

— Non, mais la ville n'est pas bien grande… En cherchant bien, nous finirons par les trouver.

Gagné par un sombre pressentiment, Bram se laissa choir dans un fauteuil.

— Inutile d'aller en ville, George. Elles sont à Blackrose.

— Comment le savez-vous ?

— Helen voulait récupérer des affaires. Je suis sûr qu'elle a persuadé votre épouse de l'y emmener.

Son interlocuteur secoua la tête, manifestement incrédule.

— Emily n'aurait jamais accepté une chose pareille, c'est trop dangereux !

— Détrompez-vous : quand Helen a une idée en tête, elle est capable de tout.

George lâcha un juron.

— Venez. Nous y serons dans cinq minutes.

220

13.

— Bram est déjà en route pour nous rejoindre à Blackrose, j'imagine ? Inquiet comme il est, il doit être furieux ! remarqua Helen quand Emily la rejoignit dans le salon de coiffure.

Cette dernière venait de passer un énième coup de téléphone à son mari pour l'informer de leur emploi du temps.

— Je ne leur ai pas dit où nous allions, répliqua-t-elle avec un brin de malice.

La jeune femme éclata de rire. Ses cheveux plus courts, éclaircis d'une teinte, effleurèrent ses joues, encadrant son visage d'un halo de lumière.

— Cette coupe te va à ravir, reprit Emily. Tu es prête ? Allons-y maintenant.

Elles n'avaient pas fait dix mètres dans la rue principale qu'elles croisèrent Jacob. L'air distrait, il faillit les doubler sans les voir.

— Jacob ? appela Helen, surprise.

Il se figea, plissa les yeux... et la reconnut enfin.

— Helen ? Mais... qu'as-tu fait à tes cheveux ?

Il semblait horrifié. A croire qu'elle venait de commettre un crime en sacrifiant ses mèches blondes !

— Ils étaient complètement calcinés, lui rappela-t-elle. J'étais bien obligée de les couper ! C'est mieux, non ? Emily trouve ça très bien.

Il lança un regard hébété à la vieille dame.

— Oh ! Bonjour, madame Walken. Pardonnez-moi, je… Je suis tellement surpris par la nouvelle tête d'Helen que je ne vous ai pas saluée.

— Ce n'est rien, mon garçon. Alors, qu'en dites-vous ? Elle est ravissante comme ça, non ?

L'embarras le plus complet se lut sur le visage du fils d'Eden.

— Eh bien, je… J'imagine que oui. Il faut que je m'habitue, c'est tout.

Il reporta son attention sur Helen, forçant un sourire.

— Je suis vraiment content de te voir, tu sais. Je me faisais tellement de souci pour toi !

— C'est gentil. J'aurais dû t'appeler de l'hôpital, mais tout s'est passé si vite… Es-tu rentré à Blackrose depuis hier ?

Il hocha la tête, l'air grave.

— J'y suis allé ce matin. Les dégâts sont impressionnants : le cabinet et le laboratoire de ton père sont littéralement partis en fumée. La salle de télévision est inutilisable, et le rez-de-chaussée entier a été inondé par les pompiers. Ton père est fou de rage. Il tenait tellement à son labo… Je ne comprends pas pourquoi, d'ailleurs : il n'y mettait plus jamais les pieds.

— Je sais, acquiesça-t-elle en baissant les yeux.

Si Jacob lui demandait ce qu'elle faisait dans ce même labo à 4 heures du matin, que répondrait-elle ? Mieux valait changer de sujet avant qu'il ne s'y hasarde.

— Et toi ? Tu as entendu l'alarme à temps, tu n'as pas été blessé ? s'inquiéta-t-elle.

Il esquissa un petit sourire d'autodérision.

— Non, et j'ai eu de la chance, parce que j'étais persuadé que c'était une fausse alerte. Quand je me suis décidé à sortir dans le couloir, la fumée envahissait déjà l'escalier… Franchement, si les pompiers n'avaient pas été dans le voisinage, la maison ne serait plus debout à l'heure qu'il est.

Helen évita son regard, une fois de plus. La maison ? Debout ou non, elle ne voulait plus y séjourner. Après ce qui s'était passé, elle ne se sentirait plus jamais en sécurité entre ces quatre murs.

— Oui, vous avez eu de la chance, renchérit Emily. Je n'ose même pas penser à ce qui vous serait arrivé, à Bram et toi, s'il n'avait pas installé ces petits taquets sur les montants des barreaux…

— C'est vrai, admit Jacob, avant de couver Helen d'un regard affectueux. Je suis *vraiment* content de te voir en pleine forme.

Gênée, elle recula d'un pas.

— Merci. Bon… nous devons y aller. Nous sommes *affreusement* en retard pour le déjeuner. N'est-ce pas, Emily ?

Fine mouche, son amie avait déjà compris la situation.

— Tout à fait, renchérit-elle en la prenant par le bras. George va finir par s'inquiéter. Allons-y ! Au revoir, Jacob. Ravie de vous avoir revu !

— Mais, marmonna-t-il, interloqué. Helen, attends !

Elle lui fit un petit signe de la main.

— Il faut vraiment que j'y aille. Je t'appelle en rentrant, promis !

Il la regarda s'éloigner, sourcils froncés, comme un enfant à qui on vient de refuser un jouet. « Décidément, l'amour ne lui réussit pas ! » pensa-t-elle avec une pointe de cynisme tandis qu'Emily l'entraînait vers le parking.

— Je ne veux pas paraître indiscrète, commença cette dernière avec un sourire entendu, mais il me semble que ce garçon te fait les yeux doux… Je me trompe ?

— Si ce n'était que ça ! Il m'a demandée en mariage il y a deux jours.

Emily s'arrêta au beau milieu du trottoir.

— C'est vrai ?

— Oui. J'étais aussi surprise que vous. Dire que j'ai vécu des années auprès de lui sans me douter de quoi que ce soit !

Emily se remit à marcher, l'air songeur.

— Jacob sait-il que tu vas hériter de Blackrose dans quelques mois ? demanda-t-elle au bout d'un moment.

— Oui. Mais il déteste la propriété. Il me l'a encore dit pas plus tard qu'avant-hier !

— La maison n'est qu'une petite partie de ton héritage, Helen. Jacob s'intéresse peut-être au reste…

Jacob, coureur de dot ? Cela n'avait aucun sens. Il ne s'était jamais plaint de sa situation financière. Pourquoi se mettrait-il subitement en tête de l'épouser pour son héritage ?

Elles étaient arrivées devant la voiture. Emily déverrouilla les portières, et elles s'installèrent à l'intérieur.

— Je ne sais pas ce que vous avez tous contre Jacob, marmonna Helen en bouclant sa ceinture. Il n'avait aucune raison d'empoisonner l'eau de Marcus ni de détruire son laboratoire. Alors qu'Eden…

— Ce n'est pas non plus la coupable idéale, interrompit gentiment Emily. Je sais que tu ne l'apprécies pas beaucoup, mais réfléchis : pourquoi aurait-elle mis le feu à sa propre maison ?

Helen poussa un soupir.

— Bien vu. Ce serait d'autant plus stupide de sa part qu'elle adore Blackrose.

— Hmm. C'est à n'y rien comprendre… Es-tu vraiment sûre de vouloir y aller ? reprit-elle en lui décochant un regard inquisiteur.

— Je… Oui, dit-elle franchement. Mais nous ne sommes pas obligées de rentrer : je veux juste voir les dégâts, vous comprenez ?

224

Il ne s'agissait pas de faire courir le moindre risque à Emily — et encore moins d'inquiéter les deux hommes qui les attendaient, probablement avec quelque anxiété. Mais une curiosité presque morbide l'habitait depuis son réveil. Il lui semblait qu'elle serait plus à même de surmonter les terribles souvenirs de l'incendie si elle retournait sur les lieux du drame.

— D'accord, acquiesça sa compagne d'un air résigné. Mais je te préviens : ce sera la visite la plus courte de ton histoire !

Helen sourit, soulagée.

— Merci.

La propriété grouillait de pompiers et d'officiers de police, qui avaient tendu un cordon de sécurité autour des bâtiments endommagés. Helen dut décliner son identité lorsqu'elles se présentèrent devant le portail, puis Emily s'engagea prudemment sur l'allée de graviers.

Couverte de cendres mais intacte, la petite voiture de la jeune femme était toujours garée devant le perron, là où elle l'avait laissée deux jours plus tôt. Une éternité, semblait-il. L'odeur âcre de la fumée flottait dans l'air, évoquant à Helen des images qu'elle aurait préféré oublier.

— Cet homme acceptera peut-être d'aller chercher quelques affaires dans ma chambre, dit-elle en désignant le policier qui montait la garde devant l'entrée.

Emily hocha la tête à contrecœur.

— Vas-y. Je vais me garer devant la porte de la cuisine.

Elle la déposa devant le perron. Helen se présenta au jeune homme, qui refusa poliment mais fermement d'accéder à sa requête : il n'était pas autorisé à quitter son poste. En revanche, si elle souhaitait récupérer elle-même ses effets personnels, elle pouvait entrer dans la maison par la porte de derrière.

Les pompiers qui s'y trouvaient avaient dégagé les gravats et sécurisé l'accès aux étages.

Helen se dirigea aussitôt vers l'arrière de la maison, où trônait la Cadillac de Marcus et d'Eden, à côté d'un énorme camion de pompiers, de plusieurs voitures de police, et de la berline des Walken. Elle soupira intérieurement. La perspective de rencontrer son père et sa femme ne l'enchantait guère.

Qu'était-elle venue faire ici — hormis remuer de sales souvenirs ? Elle n'avait plus qu'une envie, à présent : entasser quelques vêtements propres dans un sac et quitter cet endroit au plus vite.

Emily insista pour l'accompagner à l'intérieur, et poussa elle-même la porte de la cuisine. Helen lui emboîta le pas, choquée par la désolation qui régnait dans ces lieux si familiers. Des volutes de fumée grisâtre dansaient encore sous les plafonds noircis de suie, viciant l'air du dehors qui s'engouffrait par les fenêtres grandes ouvertes.

Helen dut s'armer de tout son courage pour ne pas rebrousser chemin. Une quinte de toux la plia en deux alors qu'elles atteignaient l'escalier, et ce fut en s'appuyant sur le bras d'Emily qu'elle gravit les marches détrempées.

Cette maison appartenait à sa famille depuis des générations. Mais, aujourd'hui, elle s'y sentait comme une étrangère. Rien ne lui évoquait plus les souvenirs heureux de son enfance, et la simple idée de devoir *posséder* cet endroit l'emplissait d'anxiété. Pouvait-elle renoncer à son héritage ? se demanda-t-elle soudain. Et si oui, pouvait-elle le transmettre à Leigh ? L'idée était séduisante. Elle appellerait le notaire de Dennison dès qu'elle serait rentrée chez les Walken pour l'interroger à ce sujet.

— Je n'arriverai jamais à m'habituer à cette cage d'escalier, murmura Emily d'un air dégoûté. Il fait si sombre, ici !

Autrefois, c'était différent : on pouvait voir les trois étages en levant la tête. Un vrai puits de lumière...

— Les travaux de cloisonnement ont été réalisés avant notre naissance, n'est-ce pas ? s'enquit Helen avec curiosité.

— Oui. Quand ta mère est tombée enceinte, Dennison a décidé de tout faire cloisonner. Il était persuadé qu'un accident finirait par arriver, avec tous ces balcons. J'imagine qu'il avait raison... mais quel dommage pour la maison !

Elles étaient arrivées devant la porte de sa chambre. Helen entra la première. Son sac à main était exactement là où elle l'avait laissé en partant. Elle remplit un petit sac de voyage, tandis qu'Emily se chargeait de rassembler ses affaires de toilette. Lorsque tout fut prêt, elle quitta la pièce sans un regret.

Une nouvelle quinte de toux l'arrêta sur le palier. Manifestement inquiète, Emily lui suggéra de s'asseoir pour reprendre son souffle. Elle refusa avec obstination. Et dévala presque l'escalier dans sa hâte à se retrouver dehors.

Elle faillit heurter Mme Norwhich dans le couloir qui menait à la cuisine. Une grosse valise à la main, la gouvernante semblait également sur le départ. Elle jeta un regard soupçonneux à Mme Walken, qui se tenait dans l'embrasure de la porte, avant de reporter son attention sur Helen.

— Vous semblez plutôt en forme pour quelqu'un qui a failli mourir.

Helen retint un soupir. Inutile d'attendre un peu de compassion de sa part, manifestement.

— Je vais bien, merci. Je vous présente Mme Walken, notre voisine.

Odette Norwhich décocha un regard oblique à son amie, mais se garda de lui tendre la main.

— Où allez-vous ? reprit Helen. Avez-vous un endroit où loger, ce soir ?

— Paula et Mme Norwhich viennent avec nous à l'Auberge, annonça Eden en faisant irruption dans le couloir.

Elle salua Emily d'un ton sec, mais courtois, et gratifia sa belle-fille d'un semblant de sourire.

— Bonjour, Eden, dit Mme Walken. Je suis navrée de ce qui vous arrive.

Eden se rembrunit aussitôt.

— Nous le sommes aussi, croyez-moi. Marcus a déjà contacté plusieurs entreprises pour faire établir les devis. Je n'ose même pas imaginer le prix des réparations ! Heureusement, nous avons une bonne assurance.

— Je peux vous donner les coordonnées d'un de nos anciens pensionnaires, si vous voulez. Il dirige une petite entreprise de BTP. Il pourrait peut-être vous aider !

— Pourquoi pas ? Je demanderai à Marcus de le contacter, en tout cas.

— Il s'appelle R.J. Je dois avoir sa carte de visite dans la voiture.

— Je vous accompagne, déclara Eden sans se départir de son air revêche.

Helen prit congé de Mme Norwhich, et suivit les deux femmes dans le jardin.

— Emily ? appela-t-elle. Je vais prendre ma voiture. Comme ça, je pourrai revenir avec Bram, quand il voudra récupérer sa camionnette.

Si la suggestion n'enchantait guère la vieille dame, elle ne s'y opposa pas outre mesure.

— D'accord. On se rejoint chez moi, dans ce cas. J'appellerai George pour le prévenir de notre retour.

Helen lui adressa un signe amical de la main, salua Eden, et tourna les talons. Elle s'apprêtait à monter dans sa voiture, quand elle aperçut Marcus près de la fontaine, une bouteille d'eau à la main.

Il continuait à s'intoxiquer sans le savoir, comprit-elle en le regardant avaler une gorgée d'eau. Elle haussa les épaules. Quelle importance, après tout ? Cet homme lui avait-il rendu *un seul* service dans sa vie ?

Elle lança un regard derrière elle. Eden et Mme Walken semblaient en grande conversation. Avertir Marcus du danger qu'il courait ne prendrait qu'une poignée de secondes…

Elle hésita encore, puis se décida à marcher à sa rencontre. Même détestable, Marcus ne méritait pas de sombrer dans la démence, drogué jour après jour par un de ses proches.

Il blêmit en la voyant approcher. Sa main retomba, trem-blante, le long de son corps trop maigre. Et, l'espace d'un instant, elle crut voir danser une lueur d'effroi dans ses yeux glacés.

— Quelque chose ne va pas ? s'enquit-elle.

Il fronça les sourcils.

— Helen ?

Il s'était exprimé d'une voix prudente, comme s'il craignait de se tromper. Les yeux agrandis de stupeur, il la fixait comme s'il lui avait poussé des serpents sur la tête.

Alors, elle comprit : c'était sa coupe de cheveux qui l'étonnait.

— C'est moi, Marcus. J'ai dû me couper les cheveux à cause de l'incendie. As-tu pris cette bouteille d'eau dans la cuisine ? J'aimerais la voir de plus près.

Les doigts crispés sur la bouteille, il parut lutter pour retrouver le contrôle de lui-même.

— Comment l'as-tu appris ? énonça-t-il plus fermement.

Elle tressaillit, stupéfaite.

— Tu savais que l'eau était empoisonnée ?

C'était absurde. Pourquoi continuerait-il à boire cette eau s'il la savait toxique ?

Il ouvrait la bouche pour répondre, quand Paula surgit à leur côté. Mais une Paula *différente* : les joues rouges, les yeux brillants, elle n'avait plus rien d'un spectre décharné.

— Venez voir ! cria-t-elle. Vite ! On a saccagé vos roses !

Marcus poussa un hurlement de rage.

— Qui ? rugit-il. Qui a fait ça ?

— Venez avec moi ! répéta Paula en tirant Helen par la manche.

La jeune femme tenta de lui échapper, mais les doigts secs de Mme Kerstairs refusaient de lâcher prise. Elle la poussa sans ménagement vers l'entrée du labyrinthe, et l'entraîna dans sa course folle. Les yeux exorbités, Marcus les suivait de près.

Tout s'était passé si vite qu'Helen n'avait pas eu le temps de réagir.

Arrivée au second carrefour, Paula obliqua sans hésitation sur la droite, vers la partie du labyrinthe qui dominait l'Hudson. Marcus semblait connaître le chemin, lui aussi… Helen comprit confusément qu'ils se dirigeaient vers l'allée en impasse dans laquelle elle l'avait aperçu, quelques jours plus tôt. La clairière qui se trouvait là était effectivement plantée de roses superbes… mais c'était le dernier de ses soucis !

— Lâchez-moi ! protesta-t-elle en secouant vigoureusement Paula par l'épaule. Ce sont les fleurs de Marcus, pas les miennes !

— Mais c'est horrible, insista-t-elle d'une voix suraiguë. Il *faut* que je vous montre ! C'est par là !

Elle désignait la clairière de sa main libre. Marcus s'engouffra dans l'impasse sans même leur jeter un regard. Un sourire cruel étira les lèvres de Paula… qui lui emboîta le pas sans lâcher Helen.

Le spectacle qui les attendait au détour de la haie était consternant : des roses, il ne restait rien. Tiges, feuilles, pétales : tout avait été brisé, foulé aux pieds avec sauvagerie. Une forte odeur de désherbant flottait au-dessus de ce carnage.

Les traits déformés par la rage, Marcus s'élança vers le parterre… et s'affala de tout son long dans les pétales rouge sang. Helen fit un pas vers lui — et chuta à son tour.

Un fil à pêche avait été tendu en travers de la clairière.

Elle se débattit, tentant de se redresser. Les épines des fleurs coupées lui transperçaient les mollets. Près d'elle, Marcus s'efforçait de reprendre son souffle. Il se releva enfin, promenant un regard effaré sur le spectacle qui l'entourait. Puis deux sons étouffés brisèrent le silence, et il se plia en deux, les mains crispées sur son estomac.

Helen se tourna vers Paula.

— Ne bougez pas ! ordonna cette dernière d'un ton sec.

Un cri d'effroi se forma dans sa gorge. Mme Kerstairs se tenait sur le seuil de la clairière, un revolver à la main.

— Vous avez tiré sur lui !

Helen ne reconnut pas le son de sa propre voix. Quelle importance ? Elle nageait en plein cauchemar. Son père gisait à ses pieds, les mains rouges de sang. Et une femme à demi folle la visait avec une arme chargée.

— Tout à fait, acquiesça Paula avec un sourire sardonique. J'ai un silencieux, en plus… Personne n'a rien entendu. Et personne n'entendra rien quand votre tour viendra, ma jolie.

— Je ne comprends pas.

— Demandez à votre père : il comprend très bien, lui. N'est-ce pas, docteur Thomas ?

Comme Marcus ne répondait pas, elle lui donna un coup de pied dans les côtes.

— Arrêtez ! cria Helen en se penchant vers Marcus.

— Ne bougez pas, j'ai dit !

Helen se redressa. Paula la visait sans trembler. Et la lueur qui brillait dans son regard indiquait qu'elle n'hésiterait pas à tirer.

— Je n'arrêterai pas avant d'avoir détruit *tout* ce qu'il aime, reprit Paula d'un ton affreusement calme. J'ai failli commencer par vous, d'ailleurs. Le soir de votre arrivée, vous vous souvenez ? Vous avez cru entendre du bruit... C'était moi ! Je me tenais dans l'ombre, je pointais mon arme vers vous... mais votre ami est arrivé. Et j'ai renoncé. J'ai préféré attendre...

Ainsi, Helen n'avait pas rêvé cette nuit-là. Il y avait bien quelqu'un dans le salon.

— Seulement, j'ai vite compris que Marcus vous détestait. Et qu'il ne souffrirait même pas de vous voir disparaître... Il préfère son labo à vous, votre cher papa ! Alors, ça ne me servait pas à grand-chose, de vous éliminer... Je vous aurais laissée tranquille si vous et votre sale copain n'aviez pas commencé à vous mêler de ce qui ne vous regardait pas.

Helen réprima un sanglot. Elle n'allait tout de même pas mourir là, à quelques dizaines de mètres d'une escouade de policiers !

— Votre père m'a opérée d'un kyste il y a sept ans. Une opération bénigne, qui n'aurait dû poser aucun problème. Ni à moi, ni à lui. Sauf que c'est tout le contraire qui est arrivé.

Marcus poussa un râle de douleur. Il respirait de plus en plus difficilement... Il lui fallait de l'aide, et vite ! Mais à moins d'un miracle, personne ne viendrait se promener par ici... A moins qu'Emily ne remarque son sac de voyage, abandonné près de la fontaine ?

— Il a bâclé l'opération comme un malpropre, poursuivit Paula, les yeux étincelant de rage. Et m'a laissée stérile ! Stérile, tu entends, docteur ? Tu m'as volé mes bébés ! Au début, mon mari prétendait que ce n'était pas grave, qu'il

232

m'aimait quand même… Mais il mentait ! Ils mentaient tous…
A chaque fois que je voyais un bébé dans la rue, je fondais
en larmes. Je n'arrivais plus à me concentrer sur mon travail.
J'ai été licenciée. Ils disaient que j'avais besoin de repos…
Tu parles ! Ma propre famille a essayé de me faire enfermer.
Mon mari m'a quittée. J'ai tout perdu, tout !

Son cri de rage résonna dans l'air lourd du début d'après-
midi. Elle baissa le bras, pointant son arme sur le corps
ensanglanté de Marcus.

— Et tout ça à cause de *lui* !

— Pourquoi ne vous a-t-il pas reconnue quand il vous a
embauchée ? demanda Helen pour gagner du temps.

Paula partit d'un rire méprisant.

— Ah ! Ça ne lui est même pas venu à l'esprit ! Je me suis
enlaidie, j'ai changé de coiffure et de style de vêtements, j'ai
modifié ma façon de parler… Comment aurait-il pu reconnaître Lydia Carpenter, la jolie blonde qu'il avait charcutée
des années plus tôt, derrière Paula Kerstairs, la misérable
femme de ménage que son épouse venait d'embaucher ? Il
ne m'a jamais regardée en face, de toute façon. Bien trop
arrogant pour ça, ce salopard.

Du coin de l'œil, Helen remarqua une brèche dans la haie
qui se dressait sur sa droite. Si seulement elle parvenait à
s'élancer… Non. C'était trop loin. Paula l'abattrait en la
voyant s'enfuir.

— Il fallait bien qu'il paye, non ? reprit cette dernière. Alors,
j'ai décidé de me venger. De lui faire subir une mort aussi lente
que celle qu'il m'avait infligée. Je voulais qu'il soit conscient
jusqu'à la fin. Ça m'a pris des années, de tout planifier. De
mettre au point une substance inodore et incolore qui saperait
ses forces jour après jour. Mais j'y suis arrivée…

— C'est vous qui avez drogué l'eau, dit Helen en faisant
un pas de côté.

Paula ne s'aperçut de rien. Toute à son récit, elle n'écoutait plus qu'elle-même.

— Evidemment ! rétorqua-t-elle sur le ton de l'évidence. Je suis une excellente chimiste, figurez-vous. Sortie major de ma promotion, recrutée par les meilleurs labos de recherche... J'adorais mon métier. Et ça aussi, *il* me l'a pris ! Mais c'est fini, à présent. Il ne peut plus rien me prendre. J'ai réussi... J'aurais préféré qu'il meure dans son cher labo, bien sûr. J'avais tout prévu : j'ai même volé le marteau de votre petit copain pour assommer le docteur avec avant de mettre le feu à la baraque. Comme ça, on aurait accusé le forgeron... Bien vu, non ? Seulement, il a fallu que vous pointiez votre nez... Vous n'en seriez pas là, si vous n'aviez pas essayé de comprendre, pauvre idiote ! Maintenant, je vais être obligée de vous tuer...

— Helen !

La jeune femme crut que son cœur s'arrêtait de battre. Jacob venait à son secours !

Paula baissa son arme — un instant seulement, pour jeter un coup d'œil par-dessus son épaule. Helen ne prit pas le temps de réfléchir. Elle se tourna vers la haie et s'élança de toutes ses forces à travers la brèche. Un cri de rage retentit dans son dos.

Paula allait tirer.

234

14.

George franchit la courte distance qui séparait les deux propriétés en un temps record. Lorsqu'ils s'engagèrent sur l'allée cahoteuse qui menait à Blackrose, Bram comprit qu'il ne s'était pas trompé : la petite voiture d'Helen était garée devant le perron de la maison calcinée. Interrogé, le jeune policier qui montait la garde devant l'entrée leur désigna l'arrière du bâtiment. Ils se garèrent devant Emily et Eden, qui discutaient près de la berline des Walken.

Helen, elle, n'était nulle part en vue.

Bram jaillit de l'habitable sans attendre que George ait coupé le contact.

— Où est-elle ? cria-t-il à l'adresse des deux femmes.

Un sourire contrit étira les lèvres d'Emily.

— Avec son père, dans le labyrinthe. Jacob est parti à sa recherche. J'ai voulu vous appeler, mais la batterie de mon téléphone est vide.

Bram courut vers les jardins, indifférent à la douleur qui lui déchirait les poumons. Le sac de voyage d'Helen était abandonné sur le sol, près de la fontaine... Bram venait de l'atteindre, quand une voiture descendit l'allée dans un grand rugissement de moteur. Il ne lui jeta pas un regard, tout entier lancé dans la bataille qui allait suivre.

Un cri de femme s'éleva dans le silence.

Helen !

Il redoubla de vitesse. Pourvu qu'il arrive à temps !

— Helen ? Où es-tu ?

Elle courait à perdre haleine quand la voix de Jacob lui parvint aux oreilles. Il était tout près, sans doute… mais où ? Elle n'avait plus aucune idée de l'endroit où elle se trouvait. Dans quelques instants, Paula tirerait de nouveau, se jetterait sur elle pour l'abattre. Comment lui échapper ? Le souffle court, elle poursuivit sa course, jusqu'à ce qu'apparaisse devant elle un embranchement, devant lequel elle pila net et hésita. Devait-elle prendre la voie de gauche, ou celle de droite ? Elle n'en avait pas la moindre idée. Une quinte de toux menaçait d'exploser dans ses poumons. Elle s'efforçait de la réprimer quand Jacob apparut au coin d'une allée.

— Attention ! lui cria-t-elle. Paula est armée ! Elle a tiré sur Marcus !

Il courut vers elle, les yeux agrandis d'effroi. Avait-il compris ? Ils devaient rebrousser chemin, et vite !

Trop tard : un bruissement se fit entendre dans son dos.

Et Paula traversa la haie qui les séparait.

— *Attention ! Paula est armée !*

Bram se figea, l'oreille aux aguets. Le cri provenait de l'allée qui partait sur sa gauche. Le souffle court, les jambes brisées par l'effort, il poussa son corps épuisé dans ses ultimes retranchements pour franchir les quelques mètres qui le séparaient du but.

Mais Paula l'atteignit avant lui : elle se dressait au milieu de l'allée, revolver en main, quand il aperçut enfin la femme qu'il aimait. Courbée en deux près de la haie comme une bête traquée.

Sous ses yeux agrandis d'horreur, Paula pointa son arme vers elle.

Déchiré par une nouvelle quinte de toux, Bram comprit qu'il arriverait trop tard. Il n'avait plus la force d'avancer.

Tout en lui s'insurgea contre l'inévitable. Ivre de rage, il se redressa en chancelant… et aperçut Jacob dans son champ de vision. Surgi de nulle part, le jeune homme s'élança vers Paula et la frappa violemment à l'épaule pour la faire tomber. Elle fit feu, tirant droit devant elle… manquant sa cible de peu. Furieuse, elle reporta toute sa hargne contre Jacob, qui la frappait à coups redoublés. Un second coup de feu retentit, et Jacob lâcha prise, touché au bras.

Bram venait de rejoindre Helen lorsque Paula se retourna. Un sourire haineux déforma son visage.

— Inutile de lutter, mes tourtereaux. Vous ne m'échapperez plus.

Elle posa le doigt sur la détente. A cette distance, elle ne pouvait manquer son coup.

— Eh, vous ! s'écria une voix féminine — si semblable à celle d'Helen que Bram crut être devenu fou. Par ici !

Surprise, Paula tourna la tête — offrant à Bram l'occasion qu'il attendait. Il se jeta sur elle et la plaqua au sol, pesant sur elle de tout son poids. Le pistolet tomba dans l'herbe. Et Bram comprit qu'ils avaient gagné la bataille.

Ce soir-là, Leigh, Helen et Bram s'attardèrent dans le salon des Walken après le dîner. Ils avaient encore tant à se dire ! George et Emily s'étaient éclipsés pour téléphoner à un de leurs anciens pensionnaires et l'inspecteur Crossley venait de prendre congé. Assis côte à côte sur le canapé, Bram et

Helen faisaient face à Leigh, qui les observait en souriant depuis une confortable méridienne en velours.

Elle ressemblait à Helen, bien sûr… mais Bram n'avait aucune difficulté à les discerner l'une de l'autre. Leurs expressions, leurs voix, leurs gestes étaient les mêmes… Et pourtant, il n'y avait qu'une seule Helen — celle qui avait pris son cœur.

Marcus était mort de ses blessures, quelques minutes après l'arrivée des secours. Jacob, le héros du jour, avait été transporté à l'hôpital, où il se remettait des émotions de la journée, un large bandage autour du bras. Quant à Paula, elle s'était enfermée dans un mutisme total dès son arrivée en prison. Mais l'étincelle qui brillait dans son regard prouvait qu'elle se satisfaisait pleinement d'avoir atteint son but. L'homme qu'elle haïssait était mort sous ses coups.

— C'est peut-être l'effet du décalage horaire, déclara Leigh, mais je n'y vois pas encore très clair, dans cette histoire…

— Bienvenue au club ! répliqua Helen en souriant. Quand Bram m'a annoncé qu'il suspectait tous les habitants de Blackrose, y compris Paula et Odette, j'ai cru qu'il avait perdu la tête. J'étais tellement sûre qu'Eden tirait les ficelles !

Bram réprima un frisson de terreur rétrospective au souvenir des événements qui avaient failli lui arracher Helen. L'espace d'une interminable minute, il avait cru qu'il allait assister, impuissant, à la mort de celle qu'il aimait. Exactement comme dix ans plus tôt, lorsque sa fille avait rendu son dernier souffle sous ses yeux. Si Jacob n'était pas intervenu…

— J'avais peut-être raison sur le fond, mais c'est Jacob qui t'a sauvé la vie, observa-t-il en déposant un baiser sur le haut de son crâne.

— Oui. Tu lui dois des excuses.

— En bonne et due forme, renchérit Leigh.

Bram ne put retenir un sourire devant les deux paires d'yeux qui le fixaient, identiques et implacables.

— Eh ! Je l'ai *déjà* remercié, affirma-t-il. Et je le ferai chaque jour de ma vie.

— Bien, approuva Leigh. Où en étions-nous ? Ah, oui : Eden. Tu pensais qu'elle faisait chanter Marcus, c'est cela ?

Helen secoua la tête.

— Je n'en étais pas sûre. En y repensant, je ne suis même pas certaine que Marcus s'adressait à quelqu'un, ce jour-là. Il parlait peut-être tout seul, comme la première fois où je l'ai vu dans le jardin. Quand il disait à maman que ses roses se portaient à merveille.

Les deux sœurs échangèrent un regard douloureux, et Leigh changea de sujet. Manifestement, l'évocation de leur mère leur était aussi pénible à l'une qu'à l'autre.

— Et les photos que tu as trouvées ? Quel lien ont-elles avec toute cette histoire ? J'aimerais les voir, tu sais. Parce que je ne me souviens pas d'avoir pris un verre à la terrasse de ce café — en bonne compagnie, en plus ! Et je ne me suis pas fait couper les cheveux, comme tu peux le constater.

— Ça, je peux l'expliquer, assura Helen. Bram m'a montré comment modifier une image sur l'ordinateur. Je crois qu'il s'agissait d'une manœuvre de Paula pour me faire perdre pied… Elle savait que je buvais l'eau, moi aussi. Mais comme je menais ma petite enquête, elle avait peur que je finisse par la démasquer. Alors, elle a créé toute cette mise en scène — les bruits bizarres, les photos, la disparition de mon sac à main ou des annuaires — pour tenter de me faire fuir.

— Ou de te faire passer pour une illuminée aux yeux de ton entourage, ajouta Bram. Ainsi, elle était certaine que personne ne te croirait si tu venais à la dénoncer.

— Si j'ai bien compris, elle s'était levée au milieu de la nuit pour vaporiser l'accélérant dans le cabinet médical. Elle voulait sans doute attirer Marcus dans son bureau dès son réveil, sous un prétexte quelconque, observa pensivement Helen. Mais notre arrivée a bouleversé ses plans… Elle s'est cachée dans un coin pour nous espionner. Quand elle nous a vus prélever un échantillon de la mixture qu'elle injectait dans l'eau, elle a décidé de nous éliminer. Parce que tôt ou tard, nous aurions fini par remonter la piste jusqu'à elle… Elle a assommé Bram avec le marteau qu'elle avait apporté pour tuer Marcus, et elle a déclenché l'incendie. Elle est sortie en verrouillant toutes les issues, persuadée que nous n'avions aucune chance de nous en sortir…

Leigh ferma les yeux.

— Arrête, je t'en prie, dit-elle en tendant la main. Parlons d'autre chose… Je ne veux plus penser à ce qui aurait pu arriver si…

— Pardonne-moi, murmura Helen en l'étreignant tendrement. Nous sommes tous sous le choc. Ce n'est sans doute pas le meilleur moment pour évoquer ce qui vient de se passer…

George et Emily les rejoignirent à cet instant, et Bram se leva pour leur faire une place sur le canapé.

— Votre pensionnaire va bien ? s'enquit Leigh en forçant un sourire.

— Très bien, acquiesça M. Walken. Il se marie la semaine prochaine ! Ensuite, j'ai appelé l'un de mes amis, un gars qui fait partie de la brigade de pompiers de Stony Ridge… Saviez-vous que Marcus a fait aménager un bloc opératoire dans son cabinet médical ?

— Pardon ? marmonna Helen.

— Les pompiers sont tombés dessus en abattant les cloisons qui avaient flambé. La pièce était agencée de telle sorte que personne ne pouvait se douter de son existence. On y entrait par une porte dérobée, aménagée dans le bureau de Marcus.

Et on sortait par une galerie qui débouche dans le jardin, derrière la maison.

— Vous plaisantez ! s'exclama Leigh. Grand-père n'aurait jamais cautionné une chose pareille !

— Il n'était certainement pas au courant. Si Marcus prenait tant de précautions, c'était sans doute pour dissimuler des activités illégales, que Dennison n'aurait pas autorisées sous son toit.

Un silence pesant tomba sur l'assemblée, comme chacun mesurait les conséquences de cette découverte.

— Décidément, la police a du travail sur les bras, commenta finalement Emily. J'imagine qu'ils commenceront par fouiller l'ordinateur de Marcus…

— Ce sera difficile, interrompit George d'un air navré. Tout ce qui se trouvait dans le cabinet médical est parti en fumée. Y compris les ordinateurs.

— Ils ne sont peut-être pas complètement perdus, objecta Bram. Il en faut beaucoup pour faire fondre un disque dur… J'ai des amis à New York, qui se sont spécialisés dans la réparation de matériel informatique lourdement endommagé. Ça coûte très cher et ça prend du temps, mais ils finissent souvent par récupérer des informations que leurs clients croyaient avoir perdues à jamais. Je leur demanderai leur avis.

— Excellente idée, approuva Helen. S'ils peuvent faire quoi que ce soit pour éclaircir les mystères qui planent encore sur Blackrose, je leur vouerai une reconnaissance *éternelle* !

Elle avait insufflé assez d'emphase comique à son propos pour détendre l'atmosphère, déclenchant un rire bienvenu dans l'assemblée.

— Moi, j'ai une question pour Leigh, déclara Emily quand chacun eut retrouvé son sérieux. Comment as-tu fait pour arriver si vite ?

La jeune femme eut un sourire entendu.

— C'es très simple : quand j'ai voulu rappeler Helen hier matin, je suis tombée sur Eden, qui m'a annoncé que la maison était partie en fumée. Alors, je me suis précipitée à l'aéroport, j'ai pris le premier avion pour New York et j'ai franchi le mur du son dans ma petite voiture de location pour venir jusqu'ici.

— Tu as dépassé les cent kilomètres à l'heure ? ironisa Helen. Pas possible !

Leigh réprima un bâillement.

— Hmm… Je crois que j'ai frôlé les cent quatre-vingts, précisa-t-elle. Mais nous en reparlerons demain, si ça ne t'ennuie pas. Je n'ai pas dormi depuis quarante-huit heures… Si je ne vais pas me coucher maintenant, je ne réponds plus de rien.

Emily se leva.

— Je crois que nous avons tous besoin de repos.

— Attendez… J'ai une dernière question à poser, reprit Leigh en se tournant vers Bram. Désolée d'être brusque, mais… quelles sont vos intentions envers ma sœur ?

— Leigh ! protesta Helen, l'air outré.

— Eh! J'ai le droit de l'interroger, non?

— Oui, mais c'est moi qui vais te répondre, répliqua sa jumelle avec cette obstination que Bram avait appris à aimer. Bram et moi partageons les mêmes intentions — mais elles sont bien trop impudiques pour que nous les mettions en pratique sous vos yeux. Maintenant, cesse de te poser des questions inutiles, et va te coucher.

Un lent sourire étira les lèvres de Leigh.

— Les choses sérieuses ne font que commencer, on dirait… Bonne nuit, tout le monde.

Et sur un ultime clin d'œil à Helen, elle quitta la pièce.

George se leva à son tour, et tendit la main à son épouse.

— Nous allons vous quitter, nous aussi. A demain.

— Bonne nuit, ma chérie, ajouta Emily en embrassant Helen avec tendresse. Bonne nuit, Bram.

Ils les laissèrent en tête à tête dans le grand salon.

— Ma sœur n'a pas son pareil pour mettre les pieds dans le plat, commenta nerveusement la jeune femme.

Elle voulut se lever, mais Bram la retint près de lui.

— Helen… Ce genre de question devait arriver. Je t'avais pourtant prévenue : je n'ai pas l'intention de me remarier.

— Et moi, je te répète que je n'ai pas l'intention de demander ta main.

— Mais…

— Arrête, Bram, interrompit-elle presque sèchement. La journée a été longue. Je n'ai pas la force d'avoir ce genre de discussion avec toi. Nous en parlerons demain, si tu veux.

Elle s'arracha à son étreinte.

— Mais souviens-toi, dit-elle en se levant. L'amour n'est pas une maladie.

— C'est vrai, admit-il, la gorge nouée. Mais certaines personnes se croient allergiques.

— Qui ne tente rien n'a rien. Bonne nuit, Bram. Il vaut mieux que nous ne dormions pas ensemble, ce soir. Je vais m'installer dans la chambre qui est face de la tienne.

Debout devant la fenêtre de la petite chambre, Helen devait refréner une furieuse envie de se taper la tête contre le mur. Quelle mouche l'avait donc piquée ? Pourquoi fallait-il qu'elle refuse de dormir avec Bram ? Si elle n'avait pas fait cette stupide déclaration, elle aurait été dans ses bras, à l'heure qu'il était.

Au lieu de quoi elle tournait en rond dans une pièce vide. Pendant que Bram, livré à lui-même, échafaudait sûrement des stratégies de rupture.

Elle en était là de ces déprimantes réflexions, quand la porte s'ouvrit doucement dans son dos. Elle se retourna, persuadée de trouver Leigh sur le seuil.

Son cœur sembla s'arrêter. C'était Bram !

— Je t'aime vraiment, tu sais.

Elle trembla sous la caresse de sa voix.

— Mais tu ferais mieux de sortir avec quelqu'un d'autre, ajouta-t-il.

— Je ne veux personne d'autre que toi.

Elle le vit s'approcher dans la pénombre.

— Tu changeras d'avis. Je n'ai rien de l'homme idéal. Mon passé me hante. Je suis fauché comme les blés, mon père se meurt d'un cancer, et mes frères ne sont pas mieux lotis que moi.

— J'ai beaucoup d'argent. Je pourrais t'aider, si tu le voulais.

Il se raidit.

— Je n'accepterai plus un centime de ta part.

— Et mon soutien, tu l'accepterais ? Tes soucis te paraîtraient moins lourds si tu les partageais avec quelqu'un.

— Pas s'il s'agit d'une riche héritière, rétorqua-t-il avec amertume. Je ne ferai pas deux fois la même erreur.

Elle s'exhorta au calme.

— Tes comparaisons n'ont aucun sens. A part l'argent, je n'ai rien à voir avec Jane.

— Je sais.

— Alors, cesse de laisser parler ton orgueil. Ecoute ton cœur, Bram.

Il tendit la main vers elle, l'attirant dans le cercle de ses bras.

— Je suis perdu, confessa-t-il d'une voix qu'elle ne reconnut pas. Qu'allons-nous faire ?

244

— J'ai quelques suggestions, répliqua-t-elle, jouant délibérément la carte de l'humour.

Il laissa échapper un petit rire amusé.

— Je connais *toutes* les suggestions que tu pourrais être amenée à faire.

— Parfait. Qu'attendons-nous, alors ?

— Helen… Je ne veux pas te blesser.

— Je ne suis pas en sucre, pourtant… La vie n'offre aucune garantie de succès. Il faut prendre des risques, Bram ! Je suis sûre de mon amour pour toi. Le reste ne me fait pas peur. Préfères-tu renoncer à ce que nous avons, plutôt que d'essayer de le garder ?

Il resserra son étreinte, mais demeura silencieux. Elle attendit, le cœur battant. Ferait-il taire son orgueil ?

Enfin, il baissa la tête vers elle, cherchant sa bouche. Leur baiser fut le plus doux, le plus tendre, le plus amoureux qu'elle ait jamais échangé.

— Devine ce que je porte sous ma chemise de nuit ? minauda-t-elle en reprenant son souffle.

Il fit courir ses doigts le long de ses hanches.

— Rien, il me semble.

— Exactement.

Sa bouche sensuelle s'étira en un sourire résolument *heureux*. Il déposa une pluie de baisers sur son front et ses paupières closes.

— Je devrais ouvrir cette porte et m'enfuir à toutes jambes, remarqua-t-il, pince-sans-rire.

— Mais tu ne le feras pas.

Il recula d'un pas pour plonger son regard dans le sien.

— Non. J'ai l'impression que tu as besoin d'un garde du corps. Mais je te préviens : pas question de porter une cape et des collants bleus !

245

Elle éclata de rire. L'aider à faire la paix avec lui-même ne serait pas toujours facile, mais elle n'envisageait pas de plus grand bonheur.

Et, riant comme des collégiens, ils se laissèrent tomber sur le lit, oublieux du monde, déjà ivres du plaisir qu'ils allaient se donner l'un à l'autre, un plaisir qu'ils entendaient savourer pleinement, jusqu'à l'aube d'un lendemain plein de promesses.

Chère lectrice,

Vous nous êtes fidèle depuis longtemps?
Vous venez de faire notre connaissance?

C'est pour votre plaisir que nous avons
imaginé un rendez-vous chaque mois
avec vos auteurs préférés, vos
AUTEURS VEDETTE dans les
collections Azur et Horizon.

Les AUTEURS VEDETTE vous
donneront rendez-vous pour de
nouveaux livres vedette.

Pour les reconnaître, cherchez
l'étoile... Elle vous guidera!

Éditions Harlequin

HARLEQUIN

LE FORUM DES LECTEURS ET LECTRICES

CHERS(ES) LECTEURS ET LECTRICES,

VOUS NOUS ETES FIDÈLES DEPUIS LONGTEMPS?

VOUS VENEZ DE FAIRE NOTRE CONNAISSANCE?

SI VOUS AVEZ DES COMMENTAIRES, DES CRITIQUES À
FORMULER, DES SUGGESTIONS À OFFRIR, N'HÉSITEZ
PAS... ÉCRIVEZ-NOUS À:
    LES ENTERPRISES HARLEQUIN LTÉE.
    498 RUE ODILE
    FABREVILLE, LAVAL, QUÉBEC.
    H7R 5X1

C'EST AVEC VOS PRÉCIEUX COMMENTAIRES QUE NOUS
ALLONS POUVOIR MIEUX VOUS SERVIR.

DE PLUS, SI VOUS DÉSIREZ RECEVOIR UNE OU
PLUSIEURS DE VOS SÉRIES HARLEQUIN PRÉFÉRÉE(S)
À VOTRE DOMICILE, NE TARDEZ PAS À CONTACTER LE
SERVICE D'ABONNEMENT; EN APPELANT AU
(514) 875-4444 (RÉGION DE MONTRÉAL) OU 1-800-667-4444
(EXTÉRIEUR DE MONTRÉAL) OU TÉLÉCOPIEUR
(514) 523-4444 OU COURRIER ELECTRONIQUE:
AQCOURRIER@ABONNEMENT.QC.CA OU EN ÉCRIVANT À:
    ABONNEMENT QUÉBEC
    525 RUE LOUIS-PASTEUR
    BOUCHERVILLE, QUÉBEC
    J4B 8E7

MERCI, À L'AVANCE, DE VOTRE COOPÉRATION.

BONNE LECTURE.

HARLEQUIN.

VOTRE PASSEPORT POUR LE MONDE DE L'AMOUR.

<u>COLLECTION HORIZON</u>

Des histoires d'amour romantiques qui vous mènent au bout du monde!

Découvrez la passion et les vives émotions qu'apportent à la Collection Horizon des auteurs de renommée internationale!

Captivantes, voire irrésistibles, ces histoires d'amour vous iront assurément droit au coeur.

Surveillez nos trois nouveaux titres chaque mois!

GEN-H-R

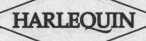

COLLECTION
ROUGE PASSION

- Des héroïnes émancipées.
- Des héros qui savent aimer.
- Des situations modernes et réalistes.
- Des histoires d'amour sensuelles et
  provocantes.

LAISSEZ-VOUS TENTER
par 3 titres irrésistibles
chaque mois.

RP-1-R

HARLEQUIN

Lisez Rouge Passion pour rencontrer L'HOMME DU MOIS!

Chaque mois, vous rencontrerez un homme **très sexy** dans la série Rouge Passion.

On peut distinguer les livres L'HOMME DU MOIS parce qu'il y a un très bel homme sur la couverture! Et dedans, vous trouverez des histoires écrites selon le point de vue de l'homme et de la femme.

Les livres L'HOMME DU MOIS sont écrits par les plus célèbres auteurs de Harlequin!

Laissez-vous tenter avec L'HOMME DU MOIS par une histoire d'amour sensuelle et provocante. Une histoire chaque mois disponible en août là où les romans Harlequin sont en vente!

RP-HOM-R

69 L'ASTROLOGIE EN DIRECT
TOUT AU LONG
DE L'ANNÉE.

(France métropolitaine uniquement)

Par téléphone 08.92.68.41.01

0,34 € la minute (Serveur SCESI).

Composé et édité par les
éditions Harlequin
Achevé d'imprimer en janvier 2005

BUSSIÈRE

GROUPE CPI

à Saint-Amand-Montrond (Cher)
Dépôt légal : février 2005
N° d'imprimeur : 45761 — N° d'éditeur : 11109

Imprimé en France